ドレスアップ・ドレスダウン

simple chic
machiko kayaki

茅木真知子

bunkashuppankyoku

contents

		口絵ページ	作り方ページ
no.1	ボーカラーのブラウス……………5……………34
no.2	ストレートパンツ……………5……………36
no.3	リトルブラックドレス……………7……………39
no.4	綿麻のワンピース……………8……………42
no.5	フレンチスリーブのワンピース……………9……………44
no.6	原型のようなブラウス……………10……………46
no.7	フリルのついたワンピース……………11……………48
no.8	シルクギンガムのツーピース……………12……………50
no.9	ボーダープリントのスカート……………13……………53
no.10	ボイルベルベットのワンピース……………14……………54
no.11	シフォンのワンピース……………16……………56
no.12	水玉のワンピース……………17……………58

　　　　　　　　　　　　　　　　　　　　　口絵ページ　　作り方ページ

no.13　　ノスタルジックなワンピース…………18…………60

no.14　　ウールのワンピース…………20…………70

no.15　　タックスカート…………21…………62

no.16　　プリーツスカート…………22…………64

no.17　　ロールカラーのワンピース…………25…………66

no.18　　麻のチャイナブラウス…………26…………68

no.19　　ウールのアオザイドレス…………27…………73

no.20　　軽いコート…………28…………80

no.21　　シルクのスーツ…………30…………76

はじめに…………4
参考寸法表と実物大パターンの選び方…………32
パターンサイズの簡単な直し方…………33

白、黒、グレー、ベージュ
これが毎日着ている基本の4色。これだけで地味にも派手にもなれるけど
どちらにもならないかんじが好き。
たまのドレスアップの日も、いつもの気分が安心なので
同じような服を着ています。

no.1・2
blouse・pants

シルクのボーブラウスに黒いパンツ。ラインストーンのバックルでドレスアップ。作り方34・36ページ

dress up   dress down

"night" + "day"
with
one little black dress

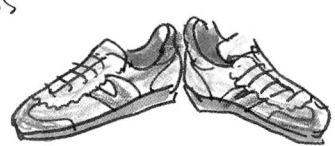

1枚は欲しいマットな素材のブラックドレス。カット&ソーのジップアップやシャツをプラスしていつもの服に。靴とバッグを替えてそのままドレスアップ。

no.3
little black dress

シルクコットンで作ったリトルブラックドレス。どこまでもシンプル。作り方39ページ

no.4
linen one-piece

ブラックドレスは誰にでも似合う。靴やバッグを替えて昼も夜も。作り方42ページ

no.5
french-sleeved dress

デイジーのジャカードが'60年代風。ストレッチコットンで。作り方44ページ

シルクシフォンにパールビーズを止めつけた布。ダーツのない原型のようなブラウス。作り方46ページ

no.6
simple blouse

dress up

dress down

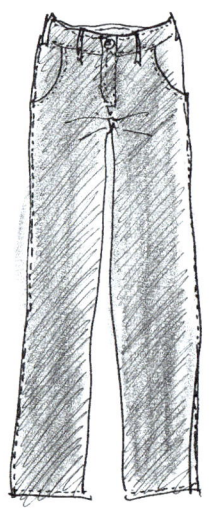

布地だけでとてもゴージャスだから気楽に着るのはむずかしい?
でも意外にジーンズには似合います。
もう少しきちんとしたいときはシルクシフォンなどのスカートと。

no.7
frilled one-piece

胸いっぱいのフリルがポイント。はさみ込まずに上からミシンで止めるだけ。作り方48ページ。

no.8
two-piece dress

シルクギンガムのトップとスカートはコサージュでドレスアップ。チノパンツと合わせてドレスダウン。作り方50ページ

no.9
skirt

左ページと同じパターンのスカートをボーダープリントの麻で。黒のミュールでドレスアップ。作り方53ページ

no.10
voile velvet dress

すとんとまっすぐなシルエット。薄くて軽いボイルベルベットで。作り方54ページ

アンダードレスの裾に黒いチュールをつけて少し見せているのがドレスアップのイラスト。
中にTシャツを重ねてカジュアルダウン。ブラウスの白い衿を見せるのもいいと思う。

no.11
chiffon one-piece

ポリエステルシフォンのクラシックなワンピース。胸でクロスした切替えにビロードのリボンをのせて。作り方56ページ

no.12
dotted one-piece

深い胸もとが気になりますか。キャミソールの上に重ね着してドレスダウン。作り方58ページ

no.13
nostalgic dress

ビスコースのノスタルジックなワンピース。いつか映画の中で見たような・・・。作り方60ページ

着回しがきかないといわれるワンピース。でもそれだけで雰囲気が出るのはやっぱり便利。
靴とバッグでこんなに違う気分になれる。

no.14
woolen one-piece

コートの下はノースリーブ、これだけでもうドレスアップ。カーディガンを着てドレスダウン。作り方70ページ

no.15
tucked skirt

ふんわりしすぎないおとなのタックスカート。布地は重さのあるポリエステル。作り方62ページ

no.16
pleated skirt

おとなになったら、制服のように見える服が好きになった。長い濃紺のスカート。作り方64ページ

dress up　　　dress down

sand beige,
pale pink

navy
+
white

思い出したように着たくなる長いプリーツスカート。上質のツインニットできれいに着るのも素敵。地味になりすぎないようにしたいけど……。

若者は一年中何枚も重ね着している。かわいく見える人もいるけど、うーん?と思うことも多い日々。
ワンピースとパンツの、長さ、分量のバランス計算が重要。足し算より引き算がいいことも。

no.17
roll-collar one-piece

さらっとしたウールレーヨン。ロールカラーが懐かしい。作り方66ページ

no.18
china blouse

ボーダーレースを裾に使った麻のブラウス。チャイナ服は素材でフォーマルにも。作り方68ページ

no.19
ao dai dress

アオザイのようなワンピース。ウールジャージーで。作り方73ページ

no.20
coat

さっとはおっておしゃれに見える。一枚は欲しい軽いコート。作り方80ページ

とにかくコート好き。
これはビスコースレーヨンなので、とろんといい感じ。
ジャージーとスニーカーにも似合うし、きちんとボタンをとめて夜のお出かけにも。

マットなシルクがいい感じ。スーツでドレスアップ。単品でドレスダウン。作り方76ページ

no.21
silk suit

how to do sewing

参考寸法表と
実物大パターンの選び方

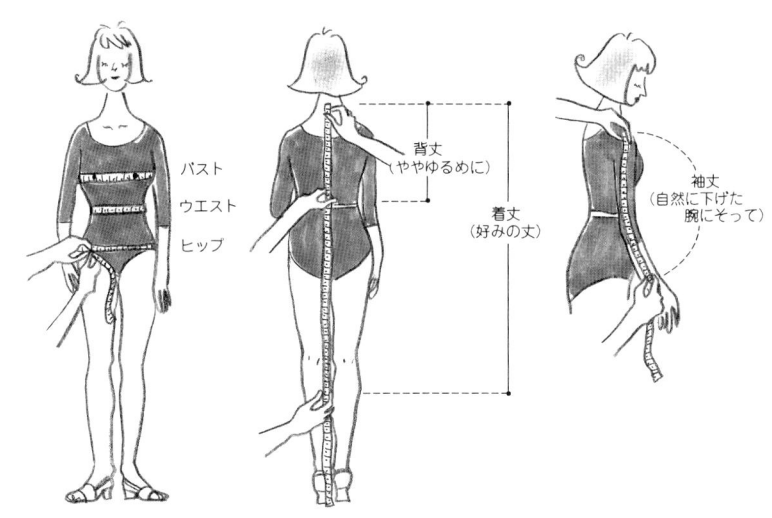

ヌード寸法のはかり方

●あなたの寸法は?
まず、自分の寸法をはかってみましょう。下着の状態で、各部位を締めすぎずゆるめすぎずにはかります。特にスカートを作る場合、ウエストを締めすぎないように注意してください。これがヌード寸法で、パターンを選ぶときの目安になる寸法です。表の参考寸法がそれです。

●パターンの出来上り寸法は?
各作品の作り方ページには、出来上り寸法が表示してあります。これはパターンの寸法で、参考寸法にそれぞれ必要なゆとり分が含まれています。例えば9号のバストの出来上り寸法が90cmならば、参考寸法の9号のバスト寸法は82cmですから、差の8cmのゆとりが入っていることになります。ワンピースなら、バスト、ウエスト、ヒップともに5〜6cmのゆとりは必要です。

また最近は、スカートのウエストはゆったりとはく傾向で、ヒップハンガーのものもありますので寸法に注意してください。

●実物大パターンは3サイズ……
付録の実物大パターンは、各作品を9号、11号、13号の3サイズにグレーディングしてあります。参考寸法表を目安にして、自分にいちばん合うパターンを選んでお使いいただきます。ただし、丈は3サイズともに一律です。丈は幅ほど問題にならないので、ここでは163cmぐらいの身長のかたを目安にしています。

●パターンの選び方は?
パターンを選ぶときの目安はバスト寸法ですが、バスト、ウエスト、ヒップの3サイズを比較しながら、2か所の寸法が近ければそちらを選び、1か所の部分訂正(後述)をします。
背丈、袖丈、スカート丈などの丈の部分は、自分でははかりにくいところですから、お召しになっている服の寸法をはかって目安にすると、どのくらい短くしたらいいか、あるいは長くしたらいいかがわかると思います。

●参考寸法表 (cm)

サイズ 名称	9	11	13
バスト	82	85	88
ウエスト	64	67	70
ヒップ	90	93	96
背丈	39	39	39
袖丈	54	54	54
身長	163	163	163

パターンの出来上り寸法

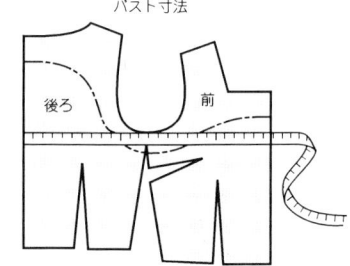

丈は着ているものではかるといい

パターンサイズの簡単な直し方

● **幅の部分的な訂正の仕方は？**
選んだパターンを部分的に訂正する場合、例えばバストとヒップは11号でいいけれど、ウエストは13号にしたいというとき、右図のように脇線でウエストだけ13号のところを使って、わきの下からウエスト、ウエストから裾までをそれぞれ結び直します。これでウエスト寸法が13号になります。
またヒップだけ大きくしたいというときも同様に、11号のウエストと13号のヒップにかけて脇線をなだらかに結び直します。

● **もっと大きくしたいときは？**
13号よりもっと大きくしたいときは、身頃の脇で大きくしたい寸法の¼ずつを広げます。袖がついているときは、袖幅を広げることも忘れずに。

● **丈を訂正したいときは？**
背丈は39cmを基準にしていますが、背の低いかた、背の高いかたそれぞれの寸法の差はせいぜい1〜2cmです。短くしたいときは、その寸法をたたんでください。別見返しがあるときは見返しも同寸法をたたみます。このときボタンあきがある場合は、ボタン間隔が変わってしまいますから、上と下の位置までを等分し直してください。またダーツがあるときは、ダーツの先端とウエスト位置を結び直します。
スカート丈を短くしたい場合は、裾でカットしてしまうこともあります。それはストレートシルエットのものや、ほんの少し短くするときです。ただしフレアシルエットの場合は、裾でカットしてしまうと裾幅が狭くなって、出来上りの雰囲気が変わってしまうこともあります。このようなときはパターンの中間でたたんで、ウエストと裾をきれいな線で結び直します。
長くしたいときは同様に、パターンの中間で平行に切り開いてください。

no.1 ………口絵5ページ

blouse
ボーカラーのブラウス

●材料
表布（シルク）90cm幅1.7m
接着芯（見返し分）90cm幅60cm
接着テープ（衿ぐり、袖ぐり分）1cm幅1.5m
ボタン直径1.2cmを6個

●パターン
後ろ、前、衿、後ろ見返し（身頃から裁ち出す）

●裁ち方のポイント
表布がすべりやすく裁ちにくいようなら、身頃、衿など部分ごとに粗裁ちをし、面積を小さくしてから、きちんとパターンをのせて裁断すると楽です。ただこの方法の場合、用尺を多めに見積もっておく必要があります。
裾の折り代は出来上り幅の2倍に裁ち、折り上げたときに折り代が透けて見えないようにします。

●縫い方のポイント
ミシン糸はポリエステル90番、針は7～9番のできるだけ細いものを用意します。針先が曲がっていたり、欠けていたりすると織り糸を引っかけて引きつれの原因になります。残布で試し縫いをしてチェックします。
衿つけの縫い代は、共布のバイアステープでくるんで始末するので、つれないように細くカットしておきます。
透ける布地の場合、表から縫い代が透けて見えてもきれいなように、肩と脇は片返しにし、2枚一緒にロックミシンで始末します。
袖ぐりの縫い方は、47ページを参照。

●出来上り寸法 （cm）

サイズ / 名称	9	11	13
バスト	91	94	97
背肩幅	35	36	37
着丈	55.5		

パターン

裁合せ図

★指定以外の縫い代は1cm

縫い合わせる前の準備

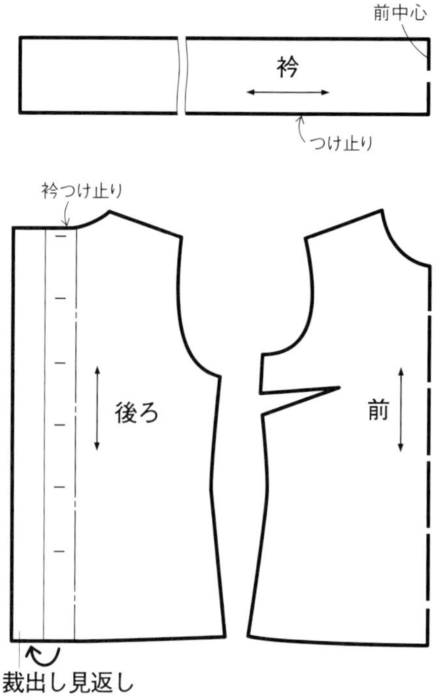

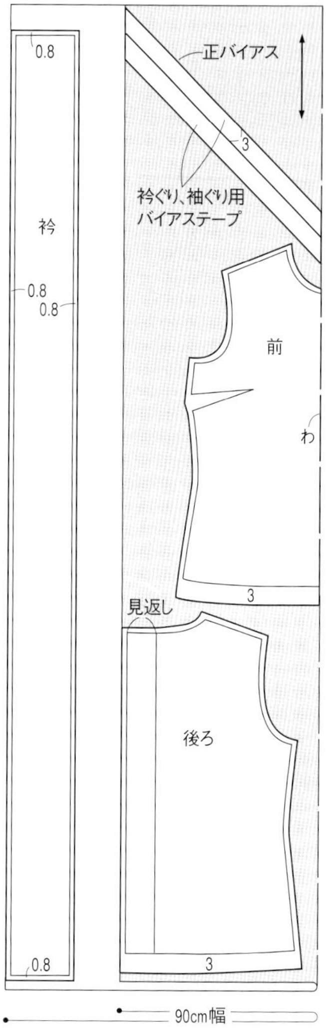

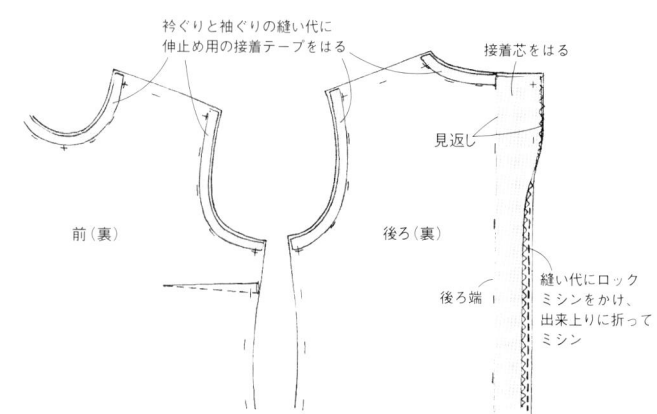

衿の縫い方

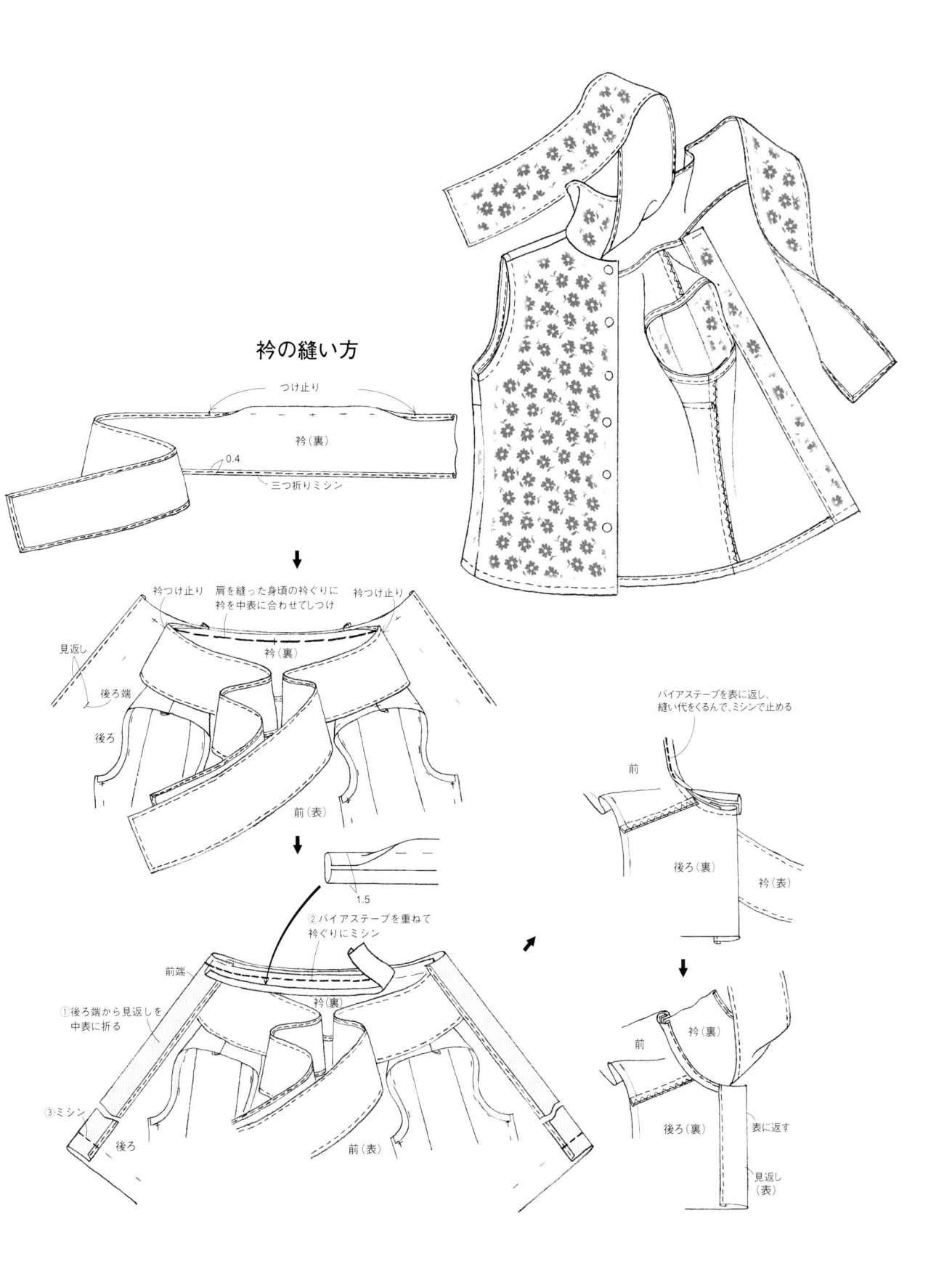

つけ止り
衿(裏)
0.4
三つ折りミシン

衿つけ止り
肩を縫った身頃の衿ぐりに衿を中表に合わせてしつけ
衿つけ止り
見返し
後ろ端
後ろ
衿(裏)
前(表)

1.5

②バイアステープを重ねて衿ぐりにミシン
前端
衿(裏)
①後ろ端から見返しを中表に折る
③ミシン
後ろ
前(表)

バイアステープを表に返し、縫い代をくるんで、ミシンで止める
前
後ろ(裏)
衿(表)

前
衿(裏)
後ろ(裏)
表に返す
見返し(表)

no.2
pants
ストレートパンツ

……口絵5ページ

●材料
表布（シルクとコットンの混紡）110cm幅2.8m
裏打ち布（裏布）90cm幅90cm
接着芯（見返し、ファスナーつけ位置分）90cm幅20cm
中厚手接着芯（ベルト分）100cm幅40cm
コンシールファスナー長さ20cm
バックル1個
ホック1組み

●パターン
後ろパンツ、前パンツ、後ろ見返し、前見返し、ベルト。裏打ち布は前パンツのパターンを利用

●裁ち方のポイント
すとんとしたストレートなパンツを作るには、折り山に布目をまっすぐ通して裁つことが大切です。布端から寸法をはかって、布目線が平行になるようにパターンを置きます。はき心地がいいように、前パンツには裏打ち布を合わせてあります。裏打ち布は前パンツのパターンを利用し、表より24cmぐらい短い丈にヘム分2cmをつけて裁ちます。

●縫い方のポイント
前パンツに裏打ち布を外表に合わせてよくなじませ、縦横にしつけをします。以後は1枚の布として扱います。
パターンの股下寸法は前より後ろのほうが0.7cmぐらい短いので、同寸法になるように後ろ股下をくせとりして伸ばします。
ウエストラインは見返しを中表に合わせて縫い返しますが、縫い代がつれるようなら、切込みを入れるか細くカットします。股ぐりは丈夫にしたいので、前後股ぐりとも2度ミシンをかけておきましょう。

●出来上り寸法　(cm)

名称＼サイズ	9	11	13
ウエスト	71	74	77
ヒップ	89.5	92.5	95.5
股下寸法	78.5	77.5	76.5

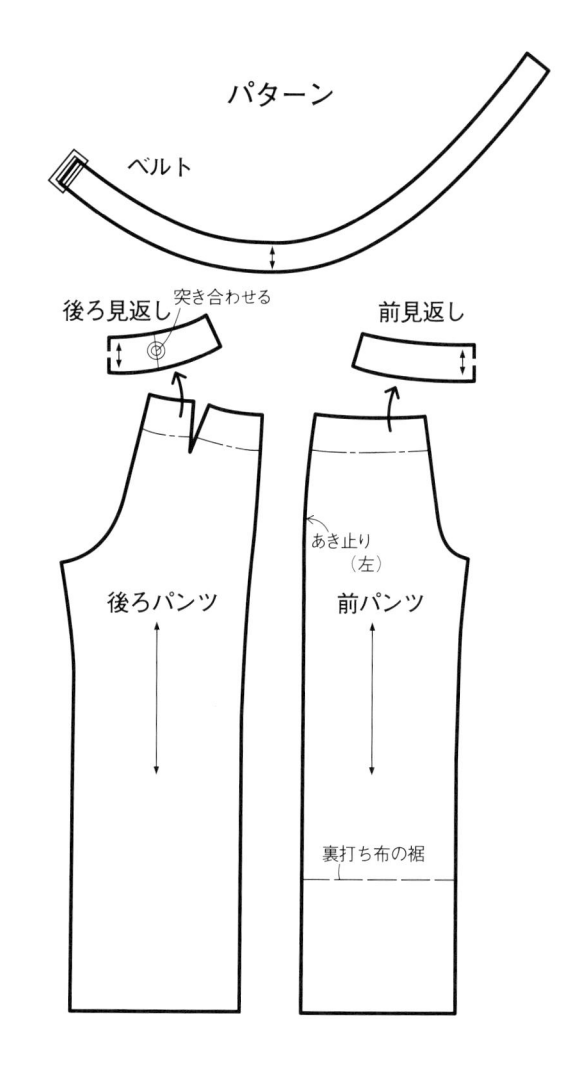

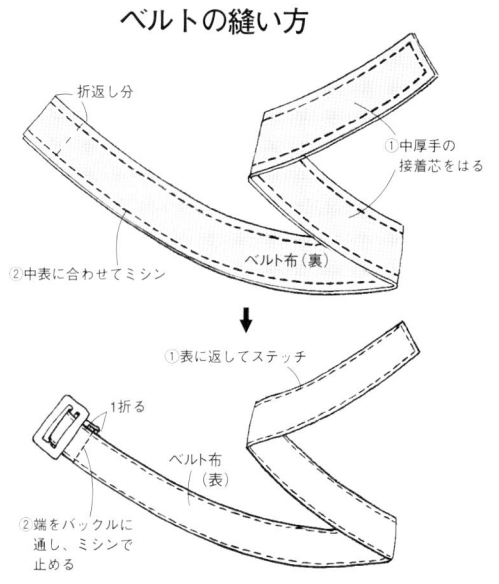

ベルトの縫い方

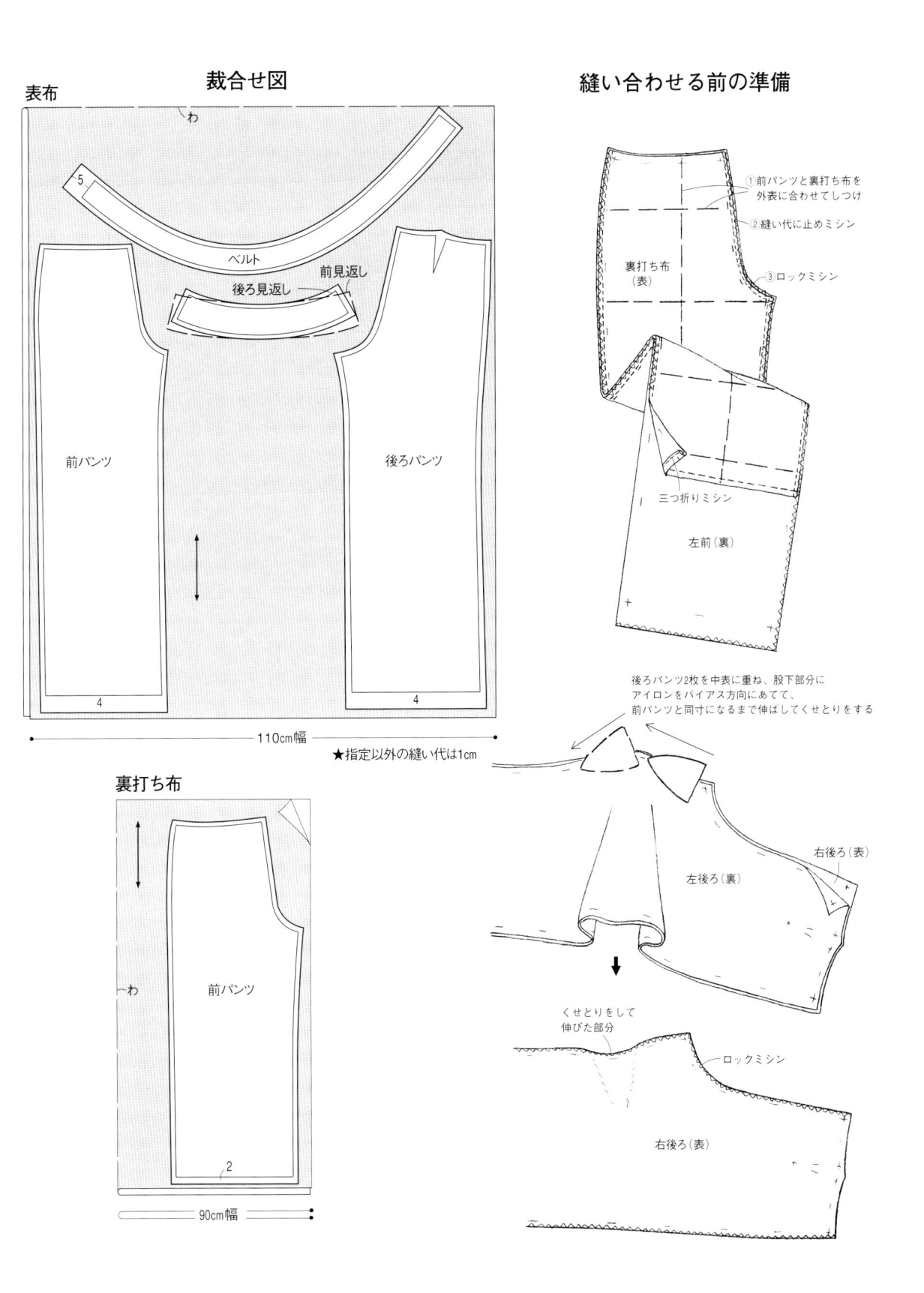

裁合せ図

表布

- わ
- 5
- ベルト
- 後ろ見返し
- 前見返し
- 前パンツ
- 後ろパンツ
- 4
- 4
- 110cm幅
- ★指定以外の縫い代は1cm

裏打ち布

- わ
- 前パンツ
- 2
- 90cm幅

縫い合わせる前の準備

① 前パンツと裏打ち布を外表に合わせてしつけ
② 縫い代に止めミシン
③ ロックミシン

裏打ち布（表）

三つ折りミシン

左前（裏）

後ろパンツ2枚を中表に重ね、股下部分にアイロンをバイアス方向にあてて、前パンツと同寸になるまで伸ばしてくせとりをする

右後ろ（表）
左後ろ（裏）

くせとりをして伸びた部分

ロックミシン

右後ろ（表）

縫合せ方

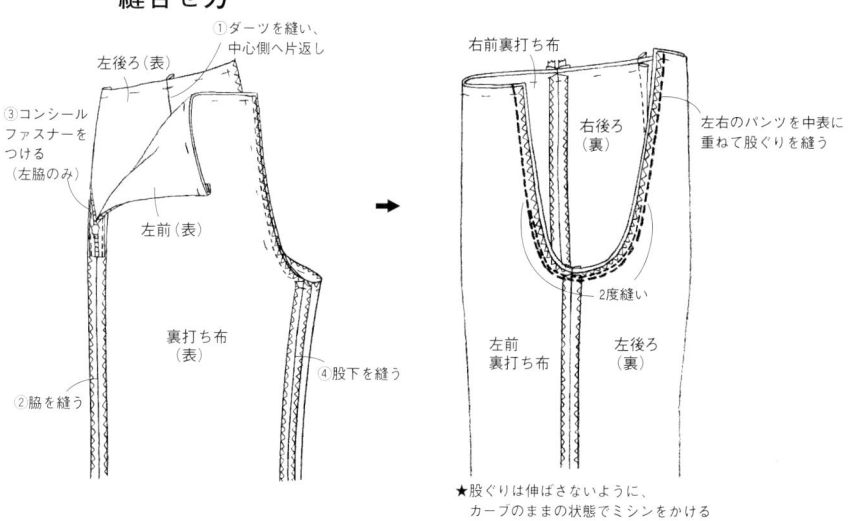

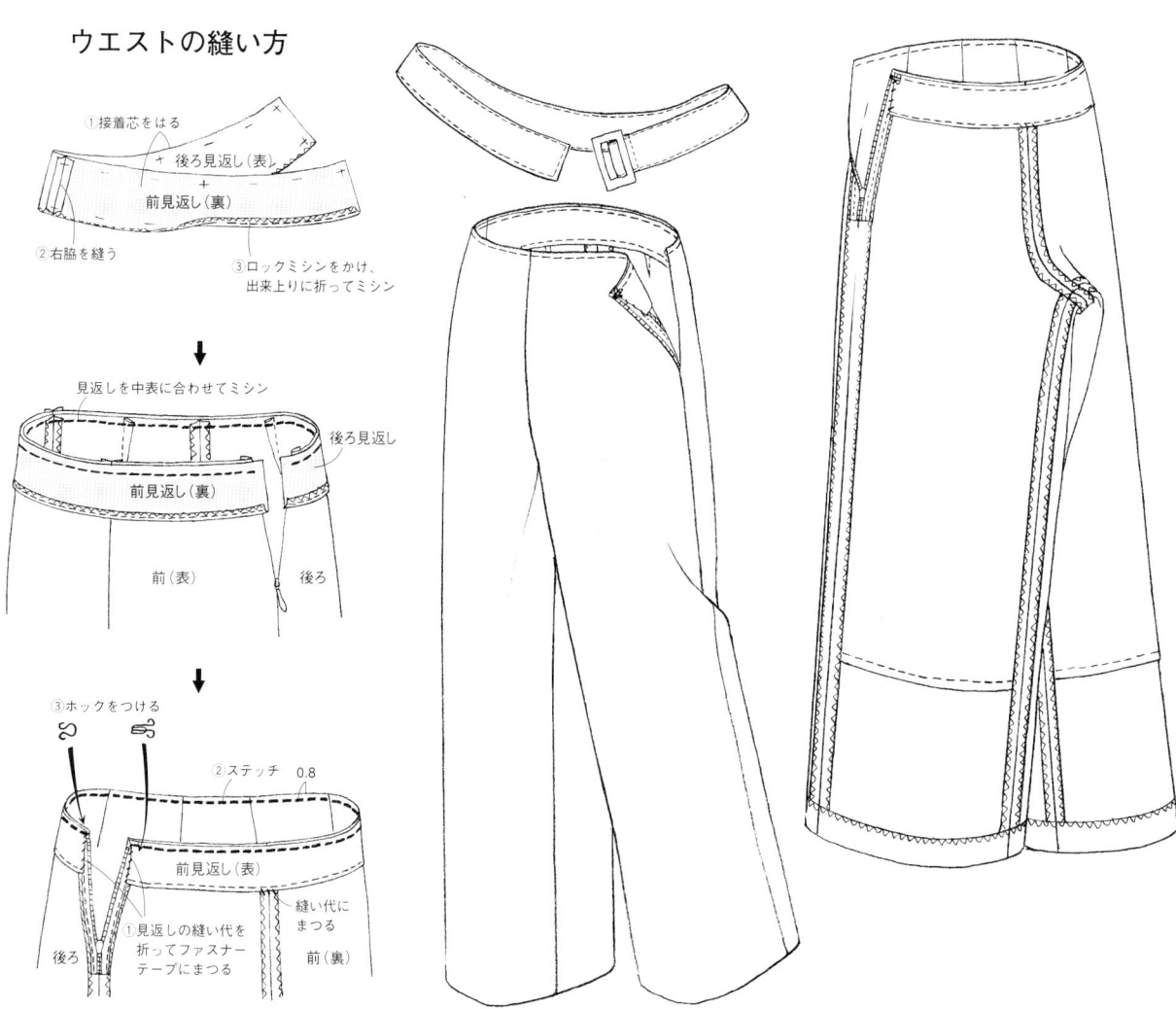

①ダーツを縫い、中心側へ片返し
左後ろ（表）
③コンシールファスナーをつける（左脇のみ）
左前（表）
裏打ち布（表）
②脇を縫う
④股下を縫う

右前裏打ち布
右後ろ（裏）
左右のパンツを中表に重ねて股ぐりを縫う
2度縫い
左前裏打ち布
左後ろ（裏）

★股ぐりは伸ばさないように、カーブのままの状態でミシンをかける

ウエストの縫い方

①接着芯をはる
後ろ見返し（表）
前見返し（裏）
②右脇を縫う
③ロックミシンをかけ、出来上りに折ってミシン

見返しを中表に合わせてミシン
前見返し（裏）
後ろ見返し
前（表）
後ろ

③ホックをつける
②ステッチ 0.8
前見返し（表）
①見返しの縫い代を折ってファスナーテープにまつる
縫い代にまつる
後ろ
前（裏）

no.3
little black dress
リトルブラックドレス

●材料
表布（シルクとコットンの混紡）110cm幅1.9m
裏布90cm幅1.8m
接着芯（見返し分）90cm幅30cm
接着テープ（衿ぐり、袖ぐり、ファスナーつけ位置分）1cm幅2.1m
コンシールファスナー長さ55cm
ホック1組み

●パターン
後ろ、前、後ろ見返し、前見返し、前後スカート

●裁ち方のポイント
布に無駄が出ないようにパターンを配置するには、スカート、身頃、見返しというように大きいパターンから位置を決めていきます。ワンピースの布地は無地ですから、前スカートと後ろスカートは、布幅いっぱいを使って差し込みます。

●縫い方のポイント
ウエストはぎのあるワンピースは、身頃とスカートをそれぞれ縫ってからウエストを縫い合わせ、最後に後ろ中心を縫ってファスナーをつけるという手順で進めます。
裏布の脇とダーツは出来上り線をしつけで縫い、脇は0.5cm、ダーツは0.3cmのゆとり（きせ分）を入れた縫い代側をミシンで縫い、しつけのところで縫い代を折ります。

●出来上り寸法 (cm)

サイズ 名称	9	11	13
バスト	90	93	96
ウエスト	74	77	80
ヒップ	106	109	112
背肩幅	32	33	34
背丈		41	
着丈		105	

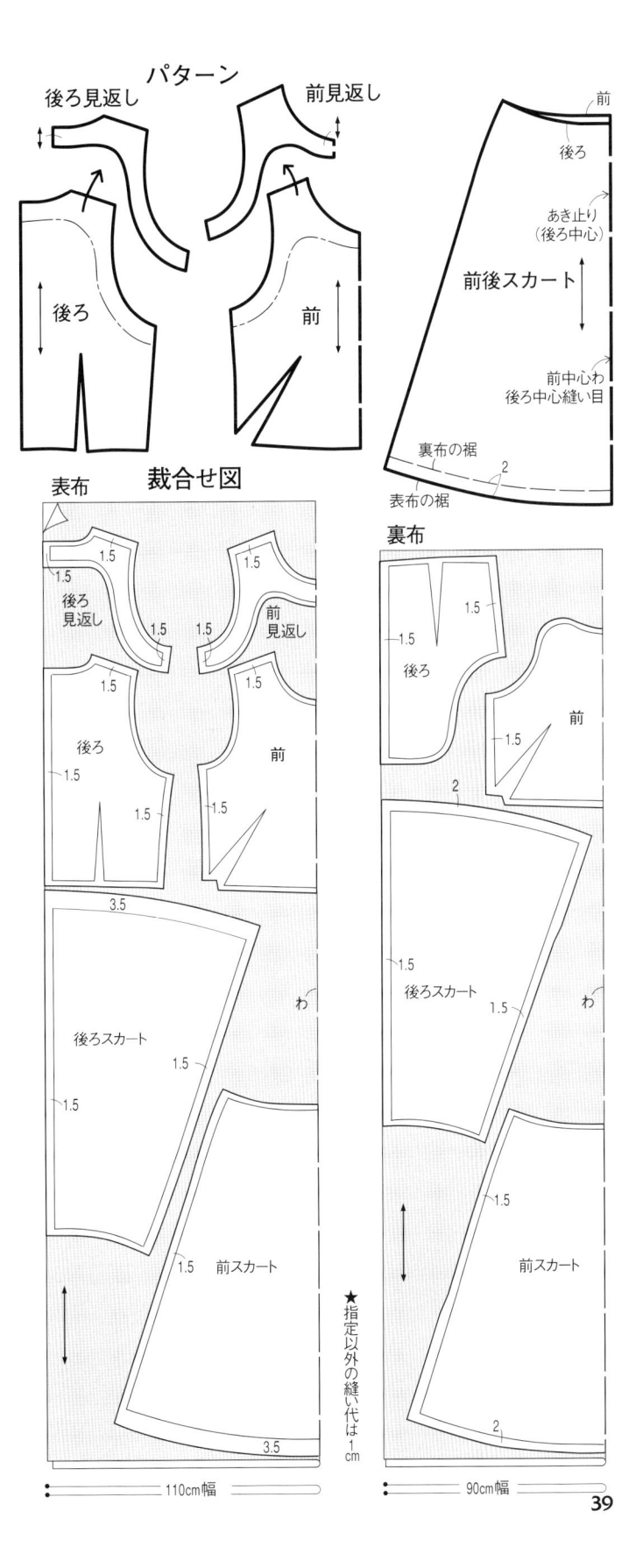

パターン
後ろ見返し　前見返し
後ろ　前
前後スカート
あき止り（後ろ中心）
前中心わ
後ろ中心縫い目
裏布の裾　表布の裾

裁合せ図
表布
後ろ見返し　前見返し
後ろ　前
後ろスカート　前スカート
110cm幅

裏布
後ろ　前
後ろスカート　前スカート
わ
★指定以外の縫い代は1cm
90cm幅

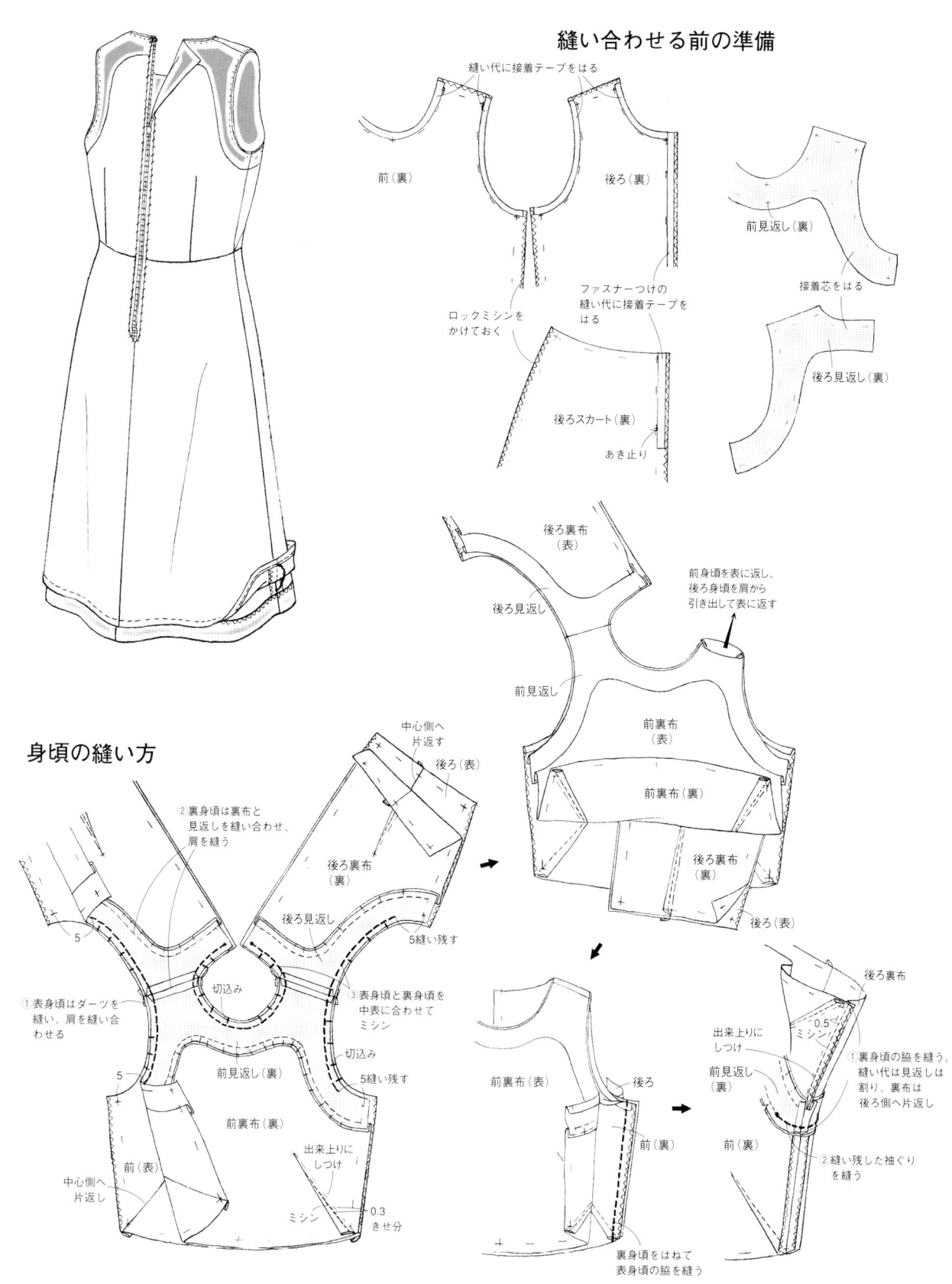

縫い合わせる前の準備

縫い代に接着テープをはる

前(裏)　後ろ(裏)

前見返し(裏)

ロックミシンをかけておく

ファスナーつけの縫い代に接着テープをはる

接着芯をはる

後ろスカート(裏)

あき止り

後ろ見返し(裏)

前身頃を表に返し、後ろ身頃を肩から引き出して表に返す

後ろ裏布(表)

後ろ見返し

前見返し

前裏布(表)

前裏布(裏)

後ろ裏布(裏)

後ろ(表)

身頃の縫い方

中心側へ片返す

後ろ(表)

②裏身頃は裏布と見返しを縫い合わせ、肩を縫う

後ろ裏布(裏)

後ろ見返し

5縫い残す

切込み

③表身頃と裏身頃を中表に合わせてミシン

①表身頃はダーツを縫い、肩を縫い合わせる

前見返し(裏)

切込み

5縫い残す

前裏布(裏)

前(表)

中心側へ片返し

出来上りにしつけ

ミシン

0.3 きせ分

前裏布(表)　後ろ

出来上りにしつけ

前見返し(裏)

前(裏)

裏身頃をはねて表身頃の脇を縫う

後ろ裏布

0.5 ミシン

①裏身頃の脇を縫う。縫い代は見返しは割り、裏布は後ろ側へ片返し

前(裏)

②縫い残した袖ぐりを縫う

ウエストの縫合せ方

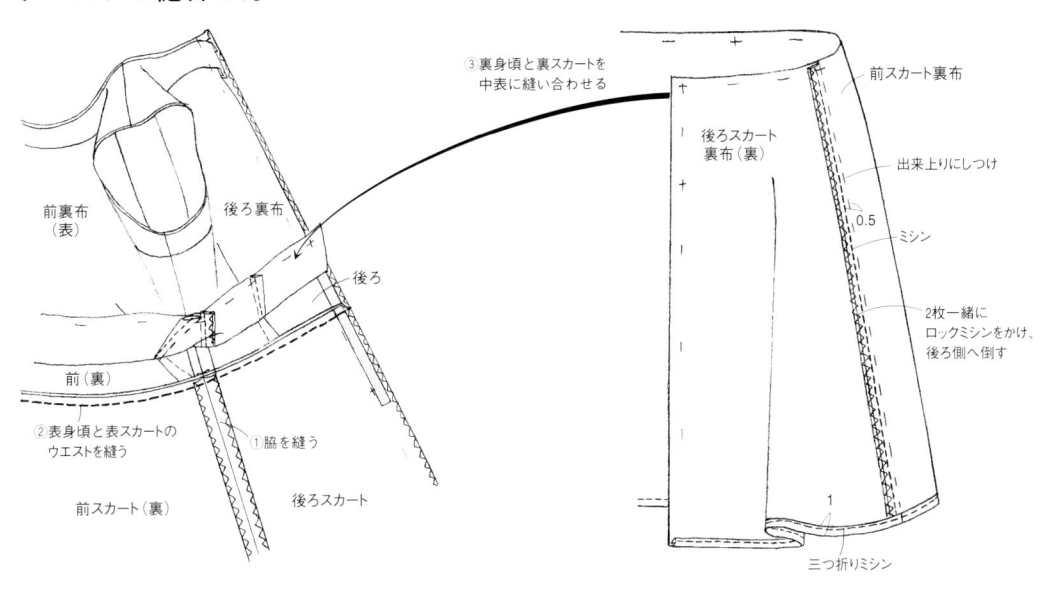

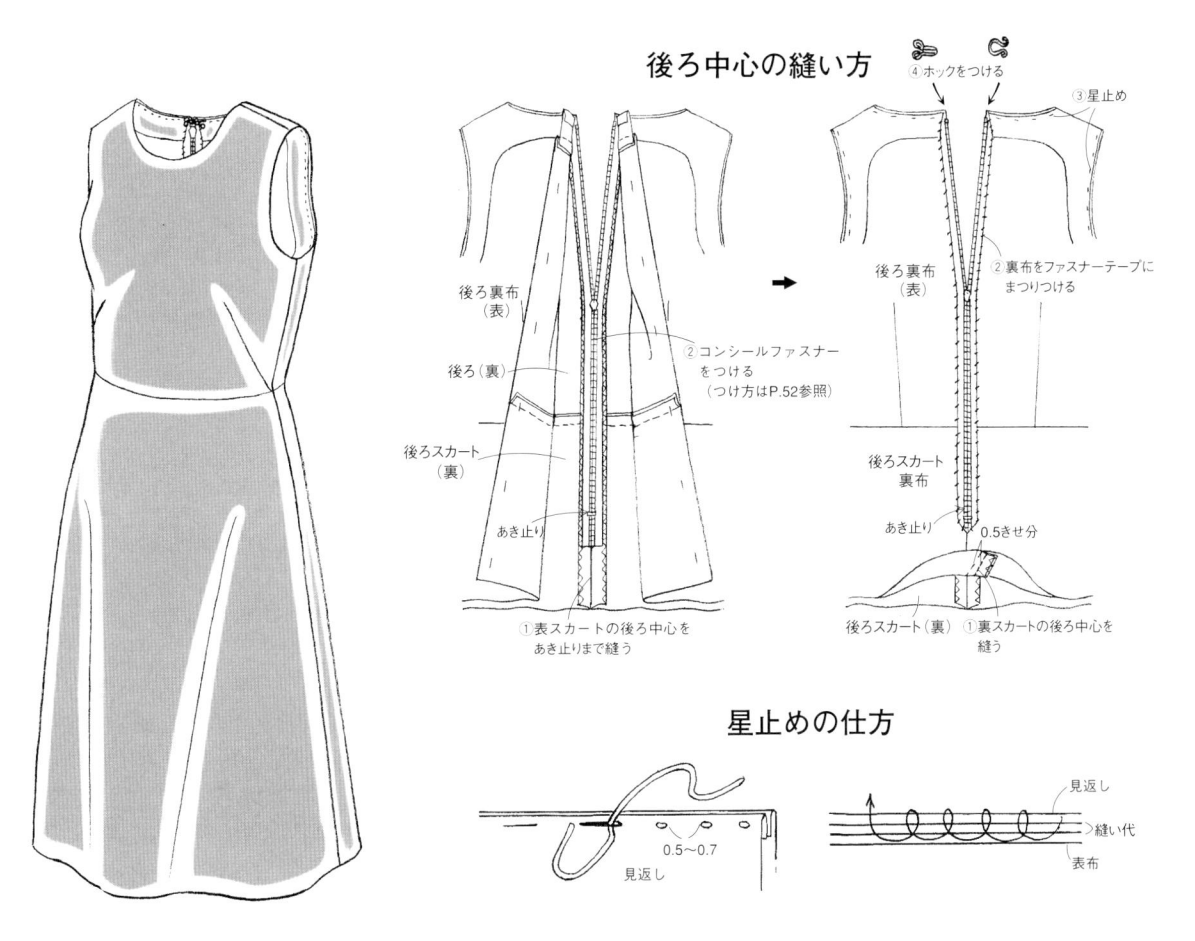

③裏身頃と裏スカートを中表に縫い合わせる

前裏布（表）
後ろ裏布
後ろ
前（裏）
②表身頃と表スカートのウエストを縫う
①脇を縫う
前スカート（裏）
後ろスカート

後ろスカート裏布（裏）
前スカート裏布
出来上りにしつけ
0.5
ミシン
2枚一緒にロックミシンをかけ、後ろ側へ倒す
1
三つ折りミシン

後ろ中心の縫い方

後ろ裏布（表）
後ろ（裏）
後ろスカート（裏）
②コンシールファスナーをつける（つけ方はP.52参照）
あき止り
①表スカートの後ろ中心をあき止りまで縫う

→

④ホックをつける
③星止め
後ろ裏布（表）
裏布をファスナーテープにまつりつける
後ろスカート裏布
あき止り
0.5きせ分
後ろスカート（裏）
①裏スカートの後ろ中心を縫う

星止めの仕方

0.5～0.7
見返し

見返し
縫い代
表布

41

no.4 linen one-piece
綿麻のワンピース

……… 口絵8ページ

● 材料
表布（綿と麻の混紡）152cm幅1.5m
接着芯（袖ぐり見返し分）40×30cm
接着テープ（ファスナーつけ位置分）1.5cm
幅1.2m
コンシールファスナー長さ53cm
ホック1組み

● パターン
後ろ、前、後ろ袖ぐり見返し、前袖ぐり見返し、フリル

● 裁ち方ポイント
衿ぐりは縁とりをするので、縫い代はつけません。ただし、ほつれやすい布地だったり、衿ぐりが伸びそうで心配な場合は、仮の縫い代を1cmほどつけて、縁とり布を縫いつけてからカットします。

● 縫い方のポイント
袖ぐりのフリルは袖ぐり見返しを縫い返してから、表に後づけします。フリルのつけミシンがかけやすいように、ギャザーミシンはつけ線をはさんで2本かけ、その中央にミシンをかけて身頃に止めつけます。この2本のギャザーミシンは、フリルをつけ終わったあとで抜きます。ただし、ギャザーミシンの針目が残る布地には、この方法は適しません。その場合はつけ線の位置にギャザーミシンをかけ、その縫い目に重ねてつけミシンをかけます。
フリルのギャザー分量は、袖ぐり下では少なめにします。

● 出来上り寸法 (cm)

サイズ 名称	9	11	13
バスト	91.5	94.5	97.5
ウエスト	76.5	79.5	82.5
ヒップ	106	109	112
背肩幅	34	35	36
着丈		108	

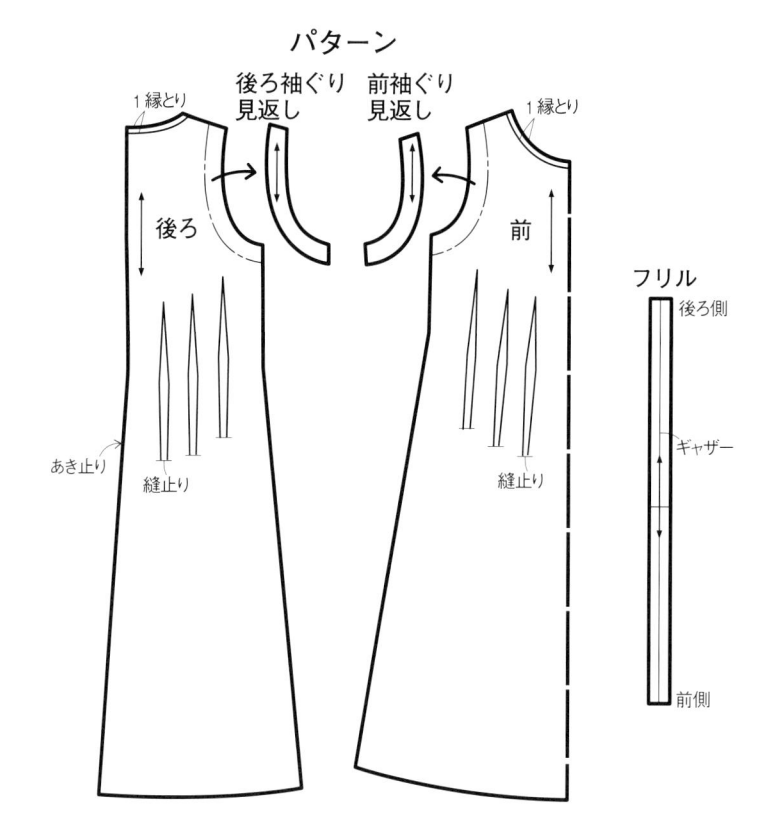

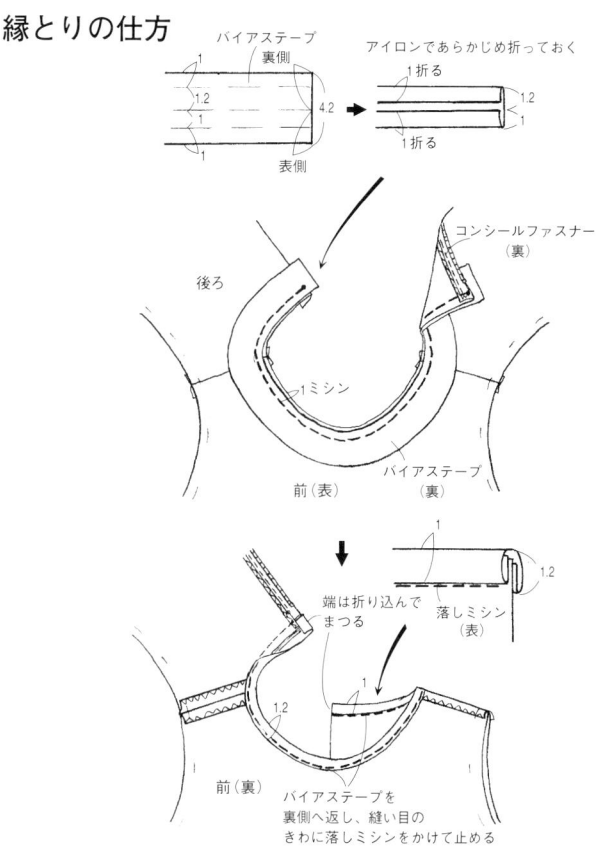

裁合せ図

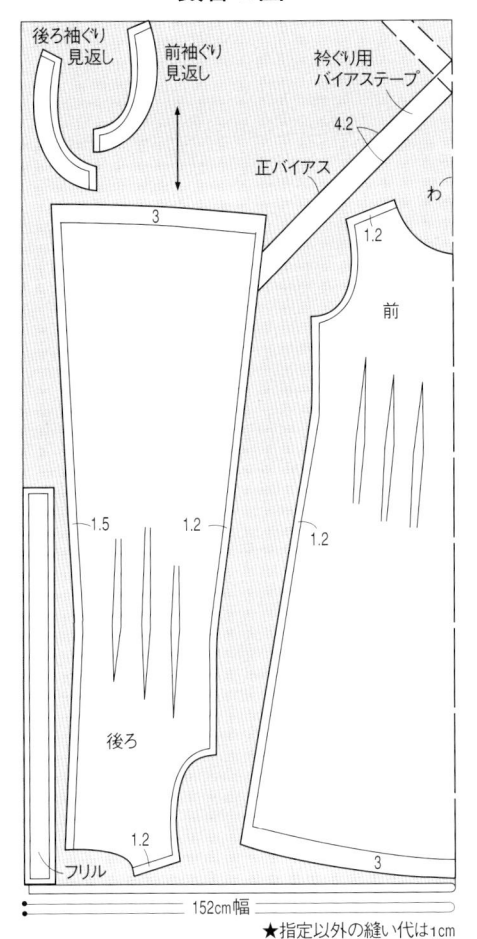

- 後ろ袖ぐり見返し
- 前袖ぐり見返し
- 衿ぐり用バイアステープ
- 4.2
- 正バイアス
- わ
- 3
- 1.2
- 前
- 1.5
- 1.2
- 1.2
- 後ろ
- 1.2
- フリル
- 3
- 152cm幅
- ★指定以外の縫い代は1cm

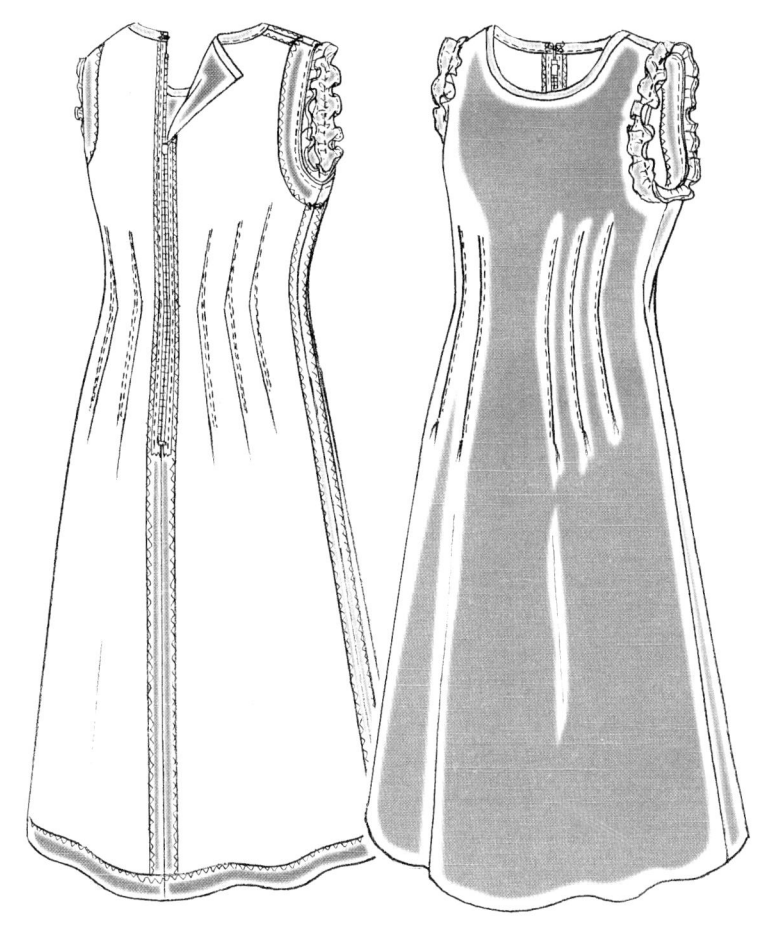

★袖ぐり見返しの縫い方はP.67参照

フリルのつけ方

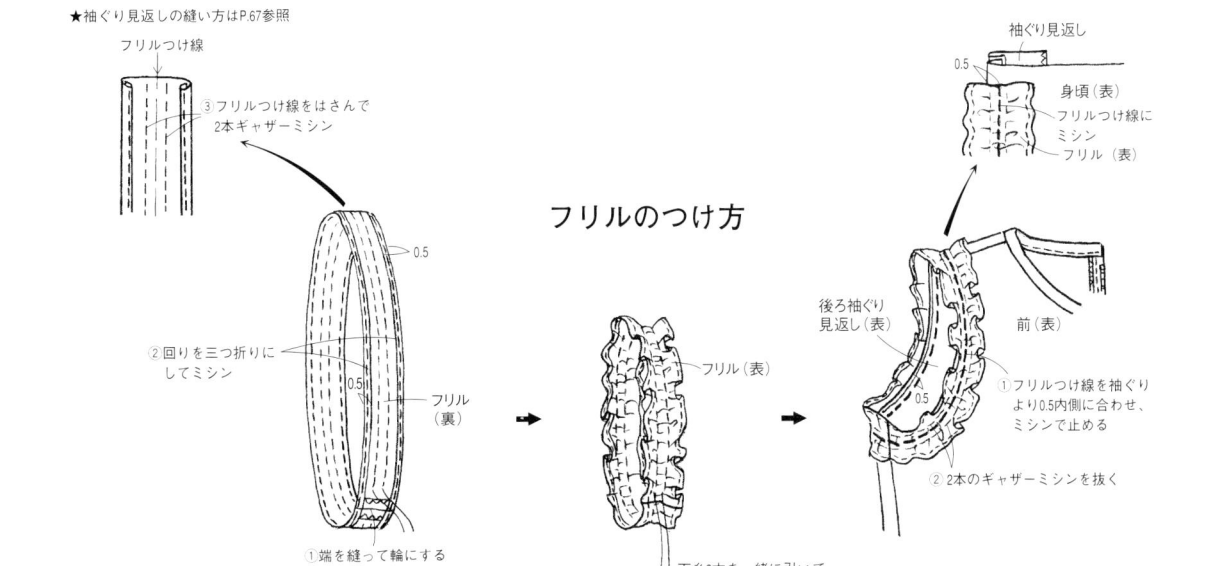

- フリルつけ線
- ③フリルつけ線をはさんで2本ギャザーミシン
- ②回りを三つ折りにしてミシン
- 0.5
- 0.5
- フリル（裏）
- ①端を縫って輪にする

- フリル（表）
- 下糸2本を一緒に引いて袖ぐり寸法まで縮める

- 袖ぐり見返し
- 0.5
- 身頃（表）
- フリルつけ線にミシン
- フリル（表）
- 後ろ袖ぐり見返し（表）
- 前（表）
- 0.5
- ①フリルつけ線を袖ぐりより0.5内側に合わせ、ミシンで止める
- ②2本のギャザーミシンを抜く

no.5
french-sleeved dress
フレンチスリーブのワンピース

……口絵9ページ

●材料
表布（コットンストレッチ）140cm幅1.4m
接着芯（見返し、ベルト分）60×120cm
接着テープ（ファスナーつけ位置分）1.5cm幅1.2m
コンシールファスナー長さ56cm
楕円形のバックル（4.5×4cm）1個
ホック1組み

●パターン
後ろ、前、後ろ衿ぐり見返し、前衿ぐり見返し、後ろ袖ぐり見返し、前袖ぐり見返し、後ろスカート、前スカート、ベルト

●裁ち方のポイント
このワンピースのベルトは共布で裁っていますが、別ベルトにする場合は、用尺が20cmほど少なくてすみます。
ベルト通し布は直線なので、直接布に線を引いて裁ちます。
コットンストレッチのような伸縮性のある布地にはる接着芯は、ニットタイプのものがおすすめです。また接着芯は、本来表布と同じ布目で裁ちますが、無駄が出てしまうような場合は横地に裁ってもかまいません。

●縫い方のポイント
ウエストラインの上にはベルトを通すので、縫い代は割って薄く仕上げておきます。
ベルト通しはウエストラインをはさんで上下に止めつけますが、裁ち端が見えないように折りたたんでつけます。

●出来上り寸法 (cm)

名称＼サイズ	9	11	13
バスト	91	94	97
ウエスト	77	80	83
ヒップ	95	98	101
背肩幅	48	49	50
着丈		98	

パターン

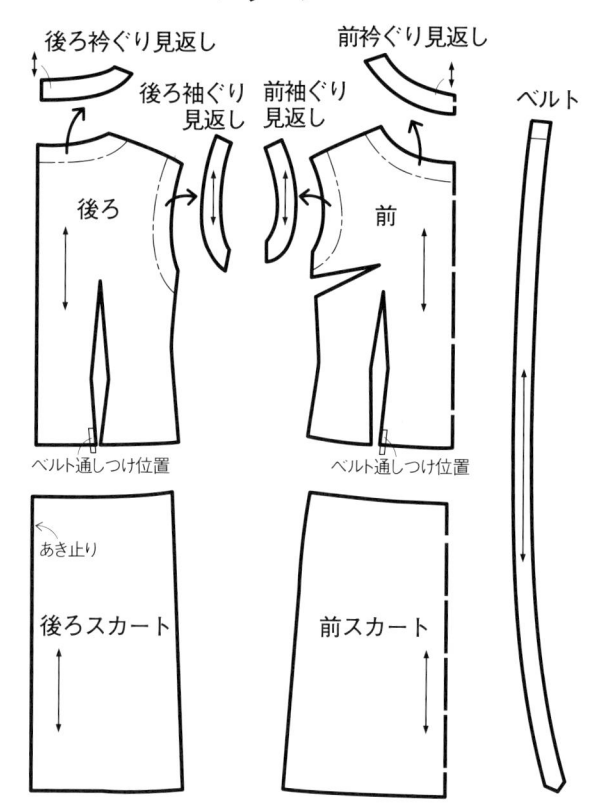

衿ぐり、袖ぐりの縫い方

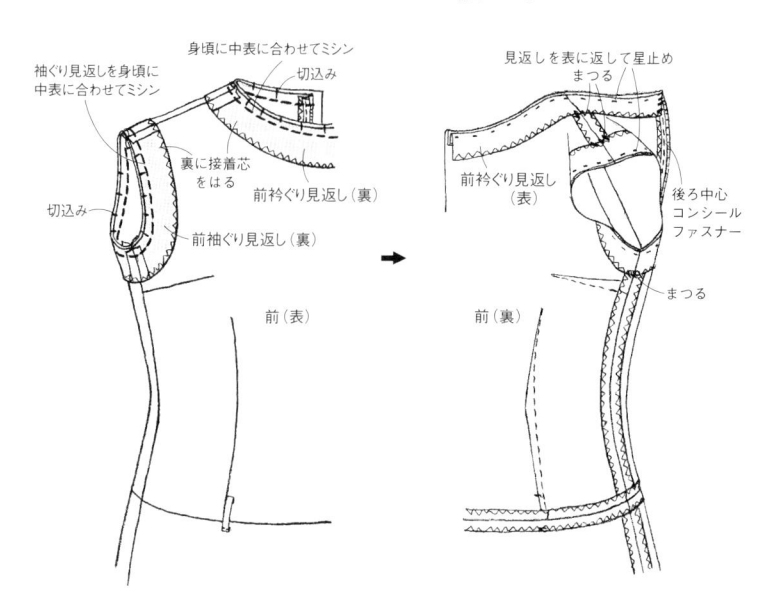

裁合せ図

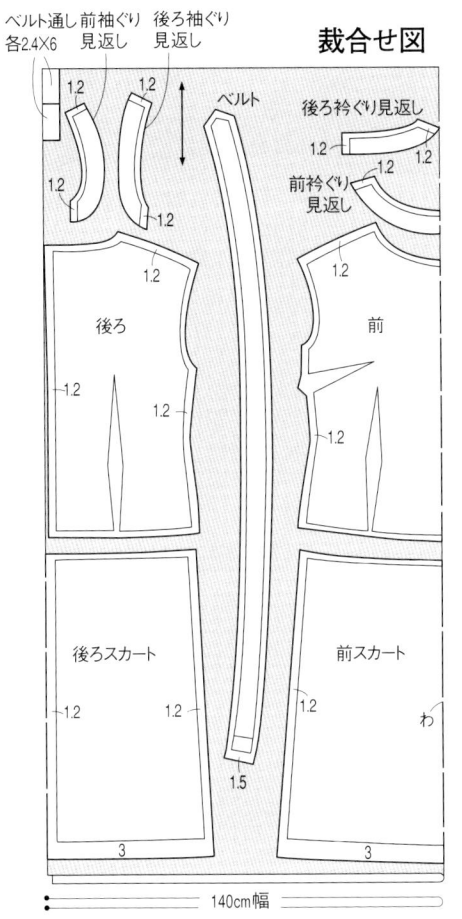

ベルト通し 前袖ぐり 後ろ袖ぐり
各2.4×6 見返し 見返し
1.2 1.2
1.2
ベルト
後ろ衿ぐり見返し
1.2 1.2
前衿ぐり
見返し
1.2 1.2
後ろ 前
1.2 1.2
1.2 1.2

後ろスカート 前スカート
1.2 1.2
1.5 わ
3 3

140cm幅

★指定以外の縫い代は1cm

ベルト通しのつけ方

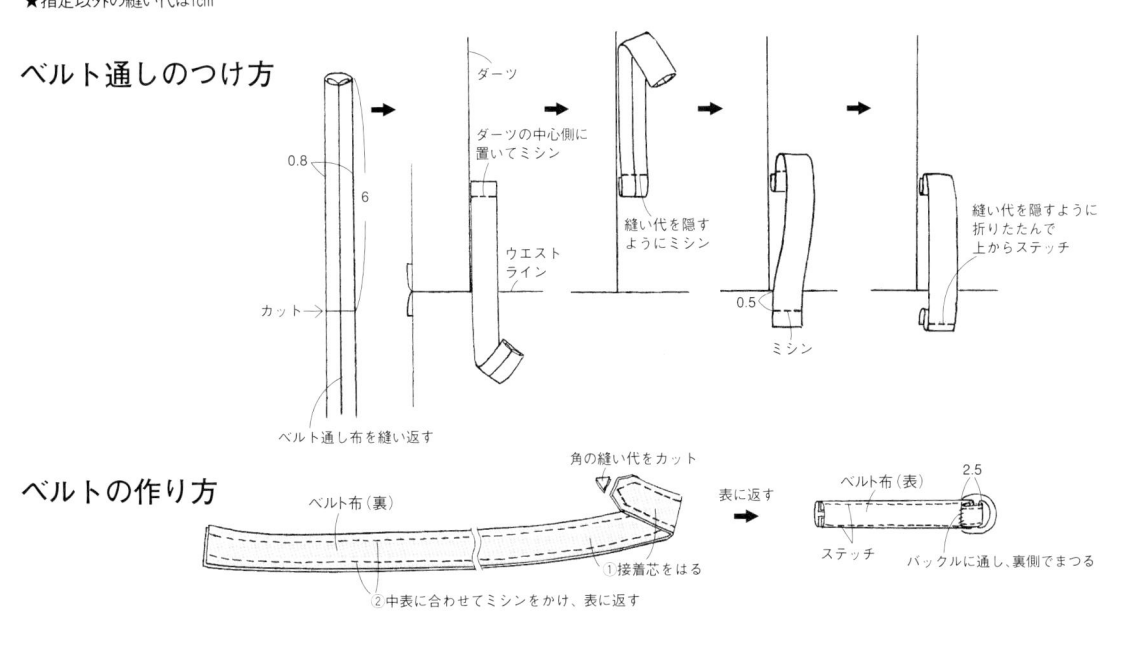

0.8
6
カット
ダーツ
ダーツの中心側に
置いてミシン
ウエストライン
縫い代を隠す
ようにミシン
0.5
ミシン
縫い代を隠すように
折りたたんで
上からステッチ
ベルト通し布を縫い返す

ベルトの作り方

ベルト布(裏)
角の縫い代をカット
表に返す
2.5
ベルト布(表)
ステッチ
① 接着芯をはる
② 中表に合わせてミシンをかけ、表に返す
バックルに通し、裏側でまつる

no.6
simple blouse
原型のようなブラウス

……口絵10ページ

●材料
表布（パールビーズつきのレース地）116cm幅70cm
別布（シルクオーガンジー・見返し、衿ぐりと袖ぐりのバイアステープ分）40×40cm
接着芯（見返し、あき止り位置分）10×15cm
ホック1組み

●パターン
後ろ、前、見返し

●裁ち方のポイント
表布はビーズがついたレース地なので、裁つ前にビーズが抜け落ちないように始末します。まず、パターンを布の上に置いて印つけをしたら、出来上がり線の1cm内側までビーズの糸をほどきます。ビーズを抜き取ったら、針にほどいた糸を通し、玉結びをして糸がほつれないようにします。ここまでの始末が終わったら、縫い代をつけて裁断します。抜き取ったビーズは、縫い合わせてから縫い目の回りに刺し足すので、とっておきます。
見返しと衿ぐり、袖ぐりのバイアステープは、表にひびかないオーガンジーを使って裁ちます。

●縫い方のポイント
スラッシュあきは身頃のあき止りに接着芯をはり、見返しを中表に合わせて0.5cm幅であきを縫います。このとき、衿ぐりのバイアステープのつけミシンから続けてあきにミシンをかけてもいいでしょう。あきの切込みは先端まできっちりと入れます。

パターン

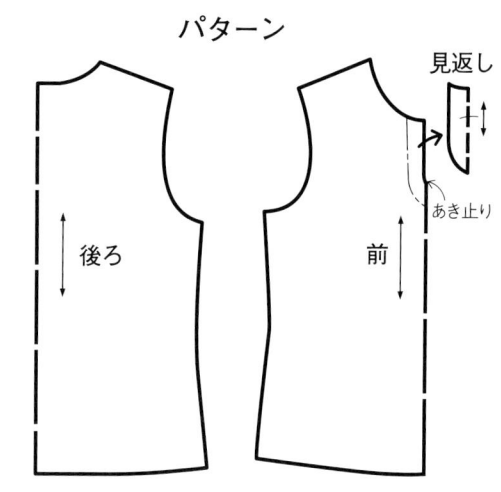

見返し

あき止り

後ろ　前

裁合せ図

表布

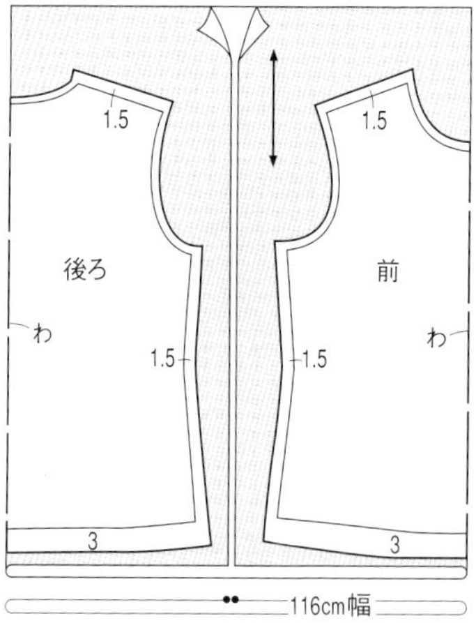

1.5　1.5
後ろ　前
わ　わ
1.5　1.5
3　3
116cm幅

★指定以外の縫い代は1cm

別布

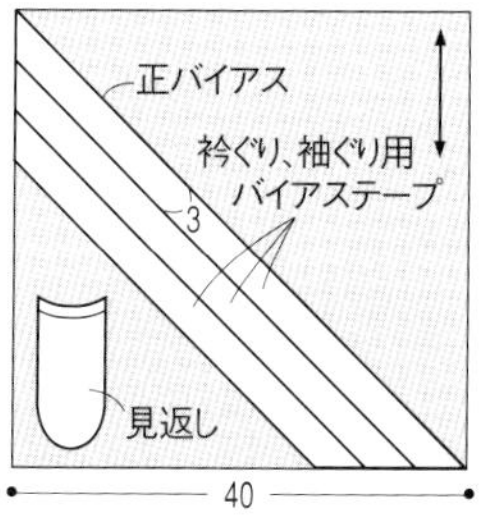

正バイアス
衿ぐり、袖ぐり用バイアステープ
3
見返し
40

★指定以外の縫い代は1cm

縫い合わせる前の準備

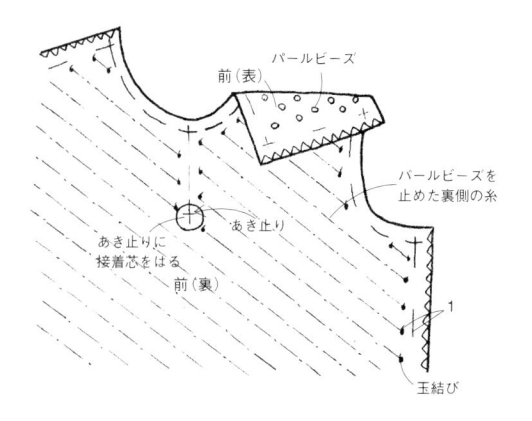

前（表）
パールビーズ
パールビーズを止めた裏側の糸
あき止りに接着芯をはる
あき止り
前（裏）
1
玉結び

●出来上り寸法　(cm)

名称＼サイズ	9	11	13
バスト	90	93	96
背肩幅	37	38	39
着丈		52.5	

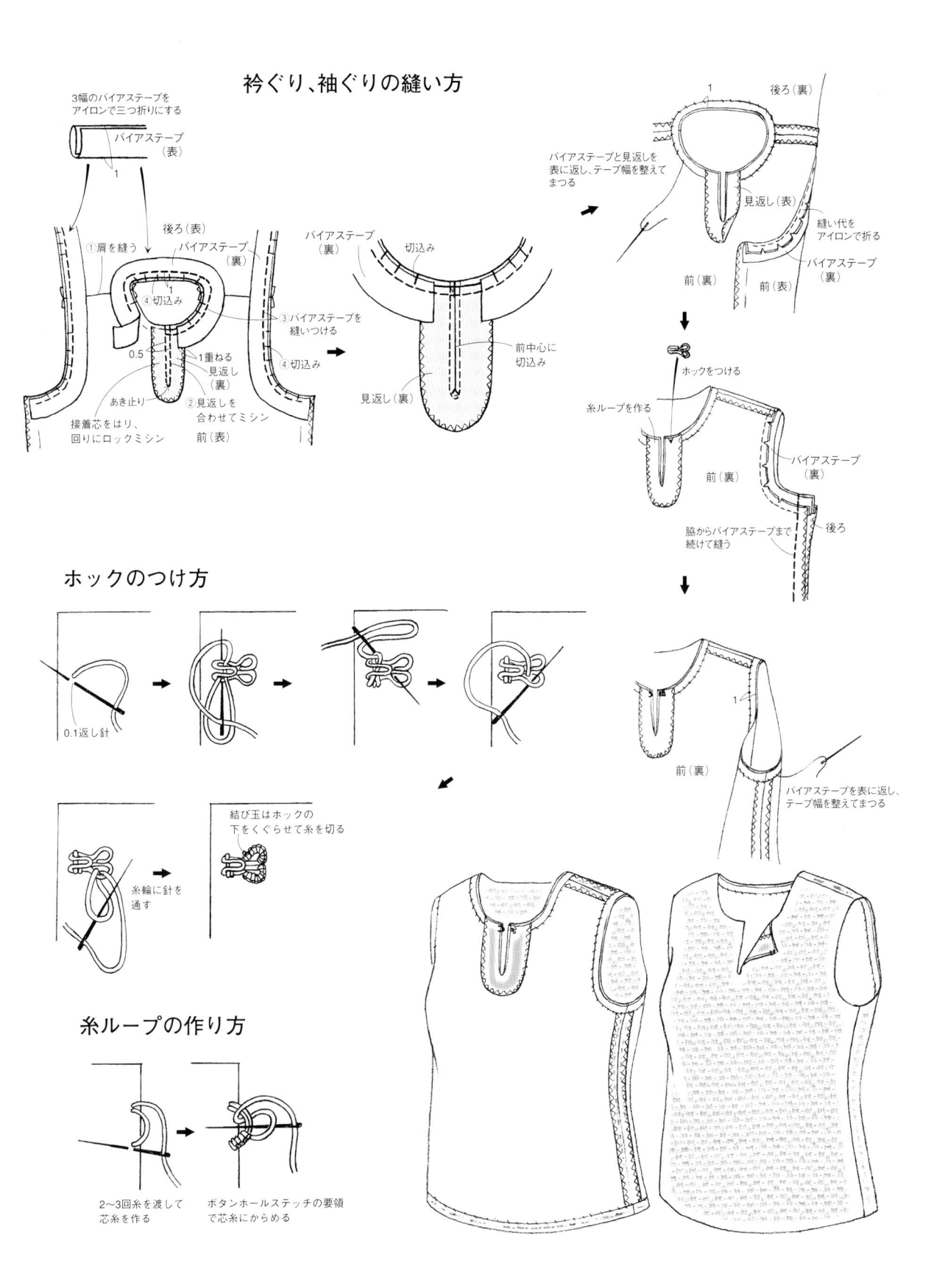

衿ぐり、袖ぐりの縫い方

3幅のバイアステープをアイロンで三つ折りにする

バイアステープ（表）

後ろ（表）
①肩を縫う
バイアステープ（裏）
④切込み
0.5
1重ねる
見返し（裏）
あき止り
接着芯をはり、回りにロックミシン
②見返しを合わせてミシン
前（表）
④切込み

バイアステープ（裏）
切込み
③バイアステープを縫いつける
前中心に切込み
見返し（裏）

後ろ（裏）
1
バイアステープと見返しを表に返し、テープ幅を整えてまつる
見返し（表）
縫い代をアイロンで折る
バイアステープ（裏）
前（裏）　前（表）

ホックをつける
糸ループを作る
前（裏）
バイアステープ（裏）
後ろ
脇からバイアステープまで続けて縫う

1
前（裏）
バイアステープを表に返し、テープ幅を整えてまつる

ホックのつけ方

0.1返し針

糸輪に針を通す

結び玉はホックの下をくぐらせて糸を切る

糸ループの作り方

2～3回糸を渡して芯糸を作る

ボタンホールステッチの要領で芯糸にからめる

47

no.7 ……… 口絵11ページ
frilled one-piece
フリルのついたワンピース

●材料
表布（コットンとポリエステルの混紡）152cm幅1.4m
接着テープ（ファスナーつけ位置分）1.5cm幅1.2m
コンシールファスナー長さ53cm
ホック1組み

●パターン
後ろ、前、フリルA、B、C

●裁ち方のポイント
衿ぐりは縁とりで始末するので、身頃とフリルの衿ぐりには縫い代をつけません。バイアステープは、できるだけ途中でぎ目を入れたくないので、正バイアスで長く裁てるところで裁ちます。
裁合せ図は9号サイズで図解していますが、11、13号サイズで作る方は、フリルを裁ったあとの布幅に前と後ろがおさまるように、上下にずらして配置してください。

●縫い方のポイント
フリルの回りは細く三つ折りにしてミシンをかけますが、先端の丸みは出来上りにカットした厚紙を裏に当てて、アイロンで形作ってから始末します。フリルの中心にギャザーミシンをかけ、糸を引いてギャザーを寄せます。ギャザーは均等に入れると仕上りがきれいなので、身頃とフリルの合い印を合わせてピンで止め、ギャザー分量を調節します。フリルつけミシンは、ギャザーミシンの上に重ねてかけます。

●出来上り寸法 (cm)

サイズ 名称	9	11	13
バスト	91	94	97
ヒップ	96	99	102
背肩幅	35	36	37
着丈		102	

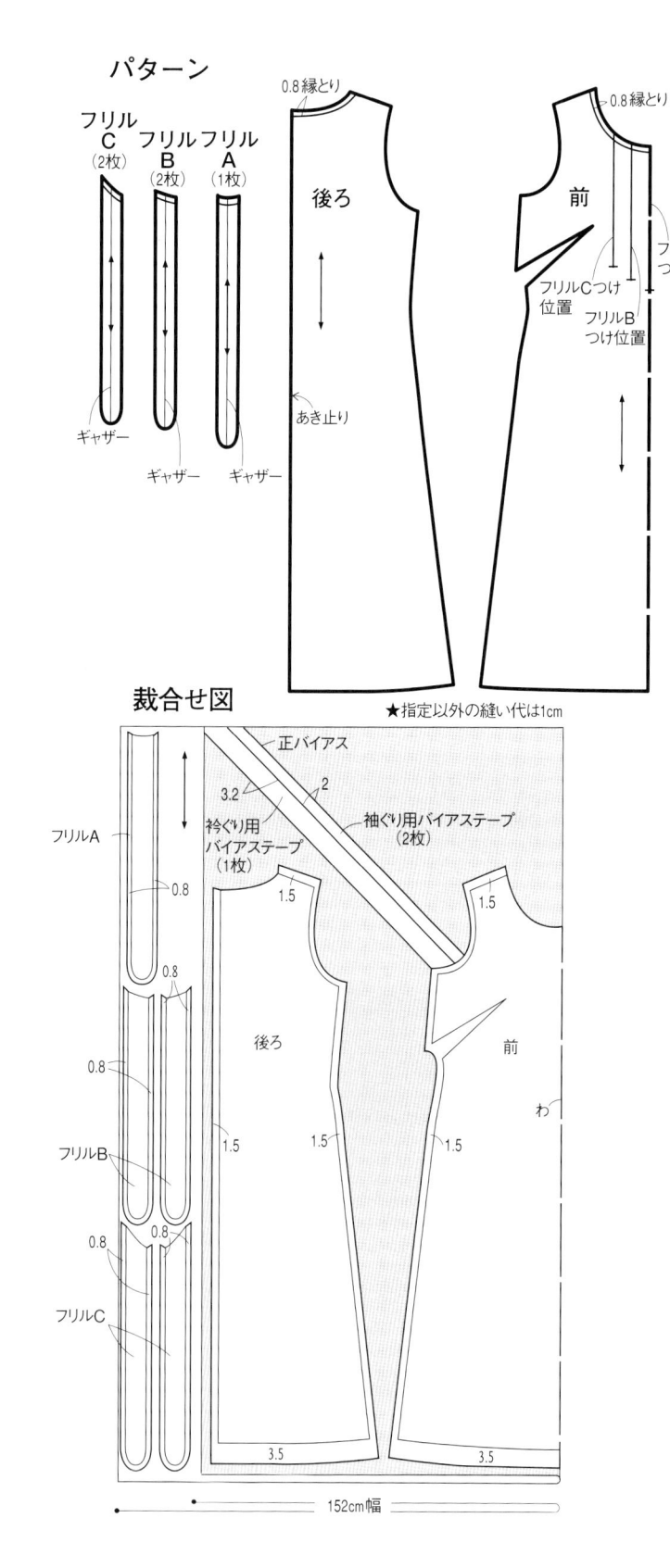

パターン

★指定以外の縫い代は1cm

裁合せ図

152cm幅

フリルのつけ方

③つけ寸法まで糸を引いてギャザーを寄せる

フリルA（表）　フリルA（表）

②中心にギャザーミシン

1.5はギャザーを入れない

前（表）

身頃のつけ位置にフリルを合わせてピンで止め、ミシンで止める

つけ位置

0.4

①外回りを三つ折り端ミシン

★フリルB、Cも同様につける

袖ぐりの縫い方

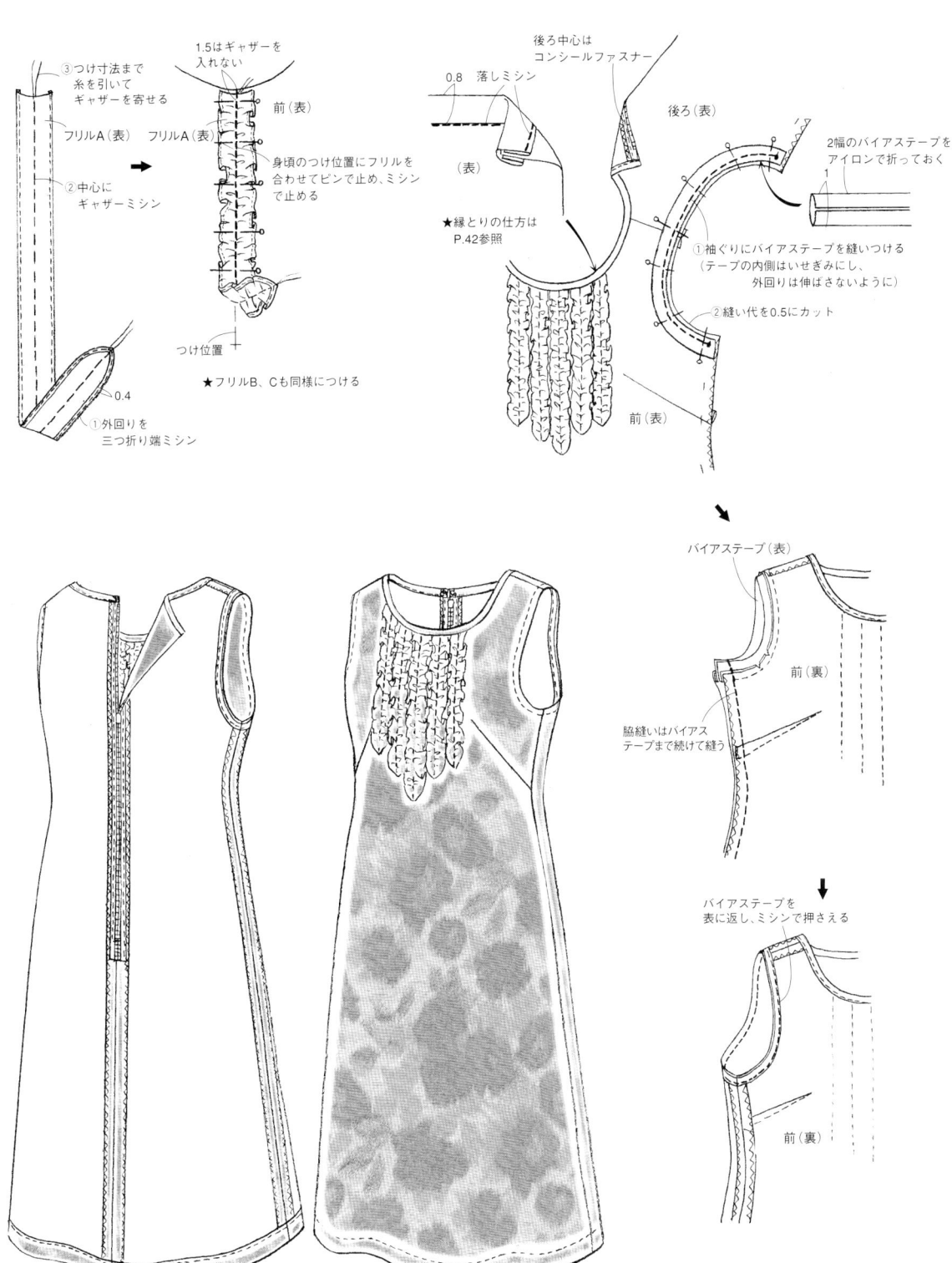

0.8　落しミシン

（表）

後ろ中心はコンシールファスナー

後ろ（表）

★縁とりの仕方はP.42参照

2幅のバイアステープをアイロンで折っておく

①袖ぐりにバイアステープを縫いつける（テープの内側はいせきみにし、外回りは伸ばさないように）

②縫い代を0.5にカット

前（表）

バイアステープ（表）

前（裏）

脇縫いはバイアステープまで続けて縫う

バイアステープを表に返し、ミシンで押さえる

前（裏）

no.8
two-piece dress
シルクギンガムのツーピース

……口絵12ページ

●材料
表布（シルク）113cm幅2.5m
薄手接着芯（見返し、ファスナーつけ位置分）
90cm幅50cm
中厚手接着芯（ベルト分）90cm幅70cm
くるみボタン　ブラウスは直径1.8cmを5個、
スカートは直径1.5cmを1個
コンシールファスナー長さ20cm

●パターン
ブラウスは後ろ、前、後ろ見返し、前見返し
スカートは後ろ、前、ベルト

●裁ち方のポイント
細かいギンガムチェックですが、身頃の後ろ中心では左と右の格子が、またスカートの脇では前と後ろの格子がそれぞれつながるように柄合せをします。布を二つ折りにして裁つ場合、上下の布のチェックをきちんとそろえてから裁合せにかかります。
ブラウスの後ろ裁出し見返しには、接着芯を後ろ端より身頃側へ1cm出してはります。こうすると見返しを折り返したとき、後ろ端に芯が2重に入るので、しっかりと仕上がります。

●縫い方のポイント
スカートのタックは、中表に折って縫止まで縫い、脇側へ片返しします。タックの折り山に表からステッチをかけたら、ウエストラインにしつけをしてタック分を押さえます。

パターン

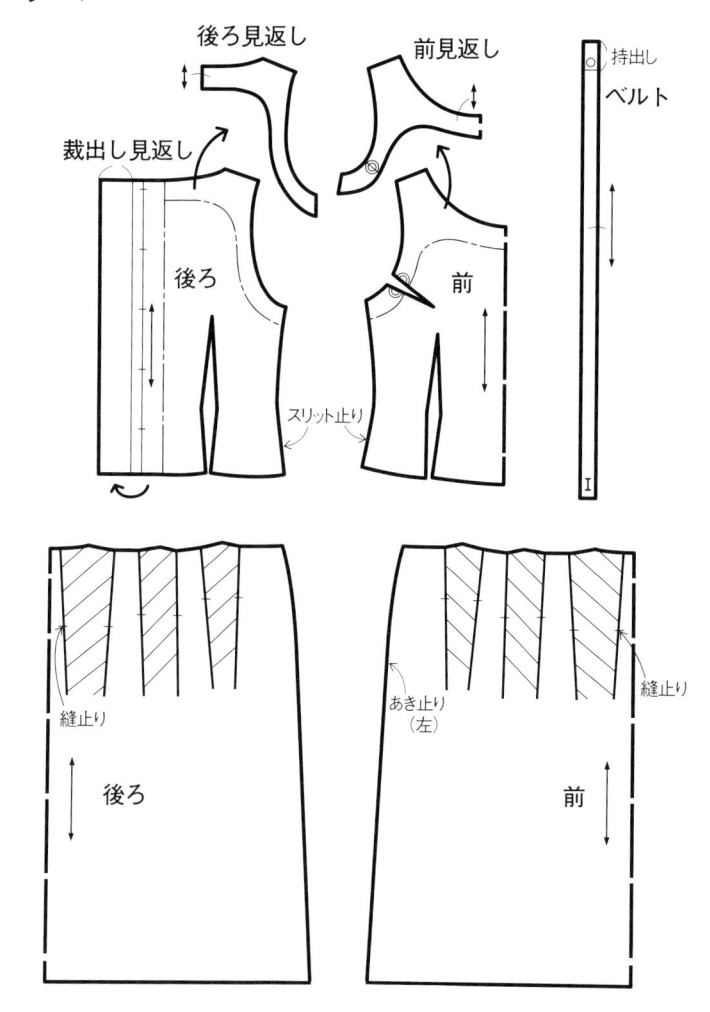

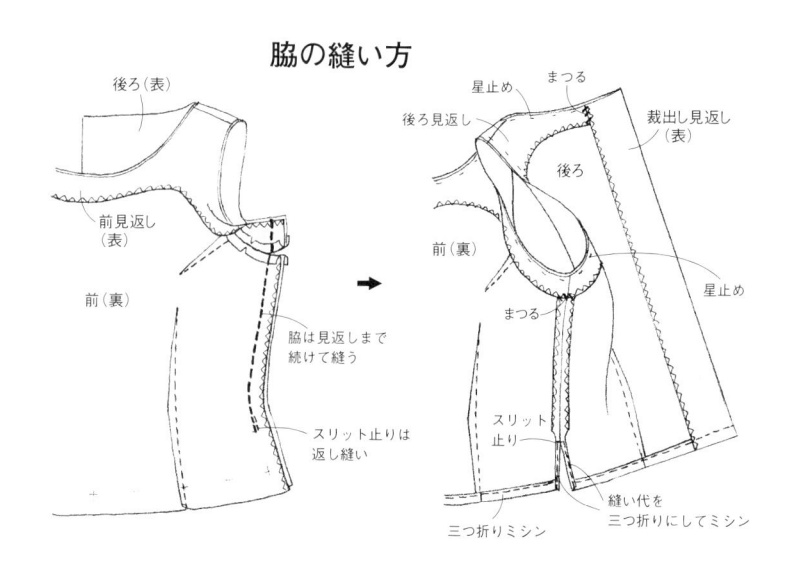

脇の縫い方

●出来上り寸法　　　　　　　　（cm）

サイズ　名称	9	11	13
ブラウスバスト	93.5	96.5	99.5
ウエスト	77	80	83
背肩幅	36	37	38
着丈		46	
スカートウエスト	65.5	68.5	71.5
スカート丈		68	

裁合せ図

- 113cm幅
- 裁出し見返し
- 後ろ 1.2
- 前見返し 1.2
- 1.2
- 1.2
- 2.5
- 後ろ見返し
- 前 1.2
- 1.2
- 2.5
- 後ろスカート 1.5
- わ
- ベルト
- 前スカート 1.5
- 4
- 4
- 113cm幅

★指定以外の縫い代は1cm

衿ぐり、袖ぐりの縫い方

- 見返しの裏に接着芯はる
- 後ろ端 1
- 見返し
- 後ろ
- 肩を縫って縫い代を割る
- 前(裏)
- 上側へ片返し
- 中心側へ片返し

①裁出し見返しを後ろ端で中表に折る
②見返しを身頃に中表に合わせて、衿ぐりと袖ぐりにミシン
③縫い代を0.5にカットし、カーブの強い部分に切込み
④後ろ身頃を肩の中に通して前身頃側へ引き抜く

- 後ろ(表)
- 重ねる
- 接着芯をはる
- 後ろ見返し(裏)
- 前見返し(裏)
- 前(表)

コンシールファスナーのつけ方

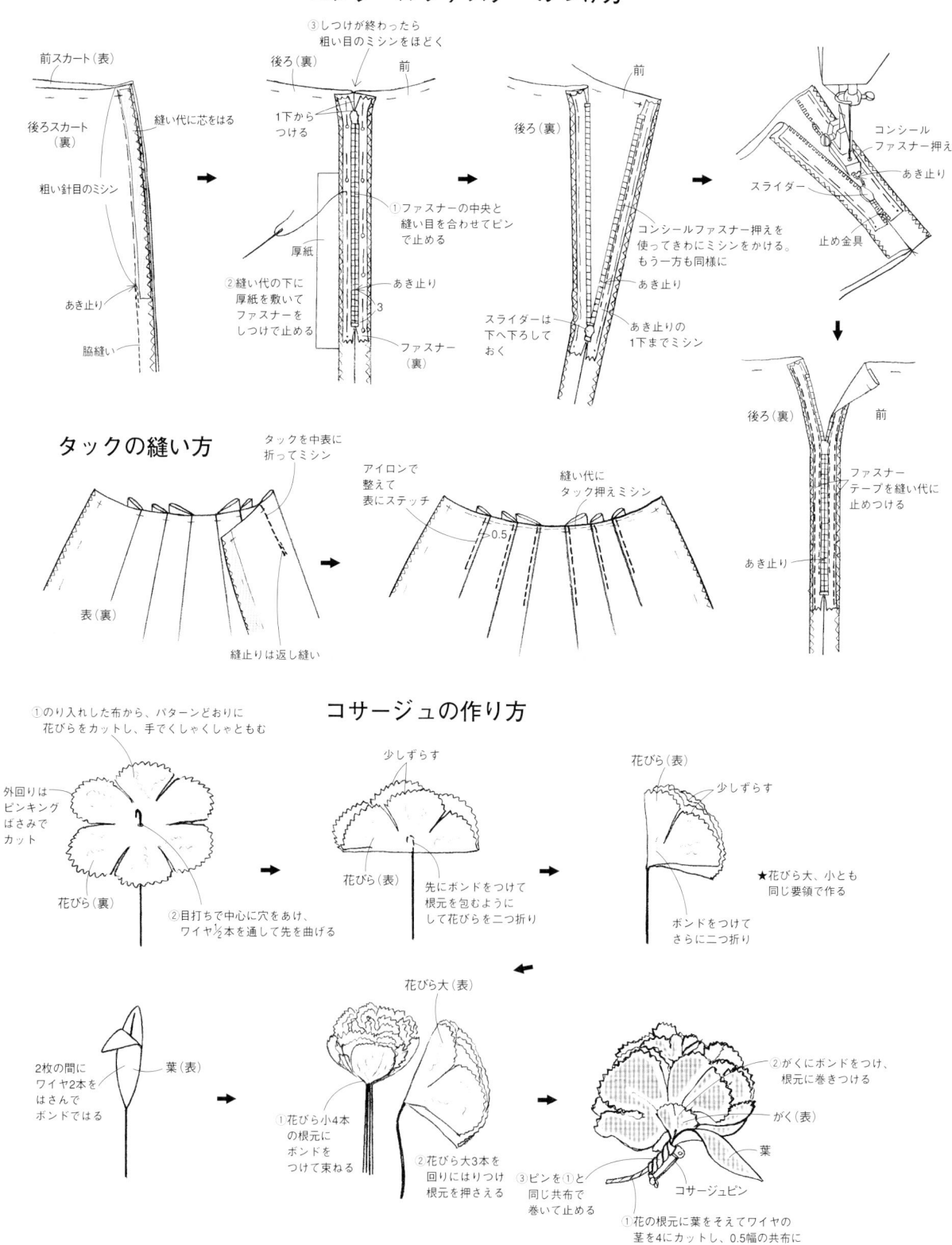

- 前スカート(表)
- 後ろスカート(裏)
- 縫い代に芯をはる
- 粗い針目のミシン
- あき止り
- 脇縫い

- ③しつけが終わったら粗い目のミシンをほどく
- 後ろ(裏)
- 前
- ①下からつける
- 厚紙
- ①ファスナーの中央と縫い目を合わせてピンで止める
- ②縫い代の下に厚紙を敷いてファスナーをしつけで止める
- あき止り
- ファスナー(裏)

- 後ろ(裏)
- 前
- コンシールファスナー押えを使ってきわにミシンをかける。もう一方も同様に
- あき止り
- スライダーは下へ下ろしておく
- あき止りの1下までミシン

- コンシールファスナー押え
- スライダー
- あき止り
- 止め金具

- 後ろ(裏)
- 前
- ファスナーテープを縫い代に止めつける
- あき止り

タックの縫い方

- タックを中表に折ってミシン
- 表(裏)
- 縫止りは返し縫い
- アイロンで整えて表にステッチ
- 縫い代にタック押えミシン
- 0.5

コサージュの作り方

- ①のり入れした布から、パターンどおりに花びらをカットし、手でくしゃくしゃともむ
- 外回りはピンキングばさみでカット
- 花びら(裏)
- ②目打ちで中心に穴をあけ、ワイヤ1/2本を通して先を曲げる

- 少しずらす
- 花びら(表)
- 先にボンドをつけて根元を包むようにして花びらを二つ折り

- 花びら(表)
- 少しずらす
- ボンドをつけてさらに二つ折り
- ★花びら大、小とも同じ要領で作る

- 2枚の間にワイヤ2本をはさんでボンドではる
- 葉(表)

- 花びら大(表)
- ①花びら小4本の根元にボンドをつけて束ねる
- ②花びら大3本を回りにはりつけ根元を押さえる

- ②がくにボンドをつけ、根元に巻きつける
- がく(表)
- 葉
- コサージュピン
- ③ピンを①と同じ共布で巻いて止める
- ①花の根元に葉をそえてワイヤの茎を4にカットし、0.5幅の共布にボンドをつけて茎を巻き込む

no.9
……… 口絵13ページ
skirt
ボーダープリントのスカート

●材料
表布（ボーダー柄の麻）112cm幅1.9cm
中厚手接着芯（ベルト分）90cm幅70cm
接着テープ（ファスナーつけ位置分）1.5cm
幅50cm
コンシールファスナー長さ20cm
ボタン直径1.5cmを1個

●パターン
後ろ、前、ベルト

●裁ち方のポイント
表布はボーダー柄なので、柄を生かした裁合せをします。ボーダー柄は一方の布端に平行して柄が通っているので、パターンはその位置に裾線がくるように配置します。柄の出ぐあいは、裁つ前の布の裾をピンで上げ、ご自身の体に当てて鏡の前でバランスをチェックしてください。裾線の位置が決まったら、脇で前と後ろの柄がつながるようにパターンを置いて裁断します。
ベルト布は、布の伸びが少ない縦地に裁って接着芯をはります。

●縫い方のポイント
デザインは口絵12ページと同じなので、縫い方は52ページを参照してください。

パターン

後ろ　前　ベルト

裁合せ図

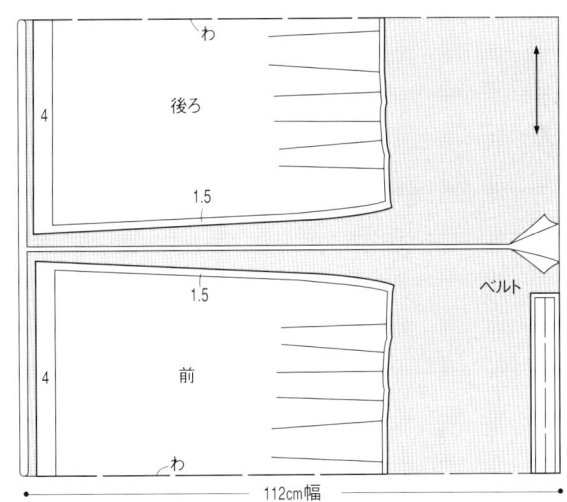

★指定以外の縫い代は1cm

●出来上り寸法　　　（cm）

サイズ 名称	9	11	13
ウエスト	65.5	68.5	71.5
スカート丈		68	

no.10 …… 口絵14ページ
voile velvet dress
ボイルベルベットのワンピース

●材料
表布(ポリエステルベルベット)112cm幅2.3m
別布(レーヨンサテン・見返し分)60×15cm
接着芯(見返し分)90cm幅15cm
接着テープ(ファスナーつけ位置分)1.5cm
幅1.2m
コンシールファスナー長さ53cm
ホック1組み

●パターン
後ろ、前、袖、後ろ見返し、前見返し

●裁ち方のポイント
表布は毛並みのあるベルベットなので、パターンは差し込まずに一方向に配置します。手で布の表面を上から下になでてみて、少しざらざらする(逆毛)方向にパターンの上下を合わせて置きます。
見返しは別布で裁って、接着芯をはります。

●縫い方のポイント
見返しを身頃と中表に合わせ、衿ぐりにミシンをかけます。縫い代はつれないように切込みを入れ、アイロンでミシン目から見返し側に折って表に返します。このとき衿ぐり縫い代の落着きをよくするため、見返しを起こして、見返し側の衿ぐりに押えミシンをかけておきます。

●出来上り寸法 (cm)

サイズ 名称	9	11	13
バスト	95	98	101
ヒップ	99	102	105
背肩幅	38.5	39.5	40.5
袖幅	34	35	36
袖丈	56.5	56.9	57.3
着丈		104	

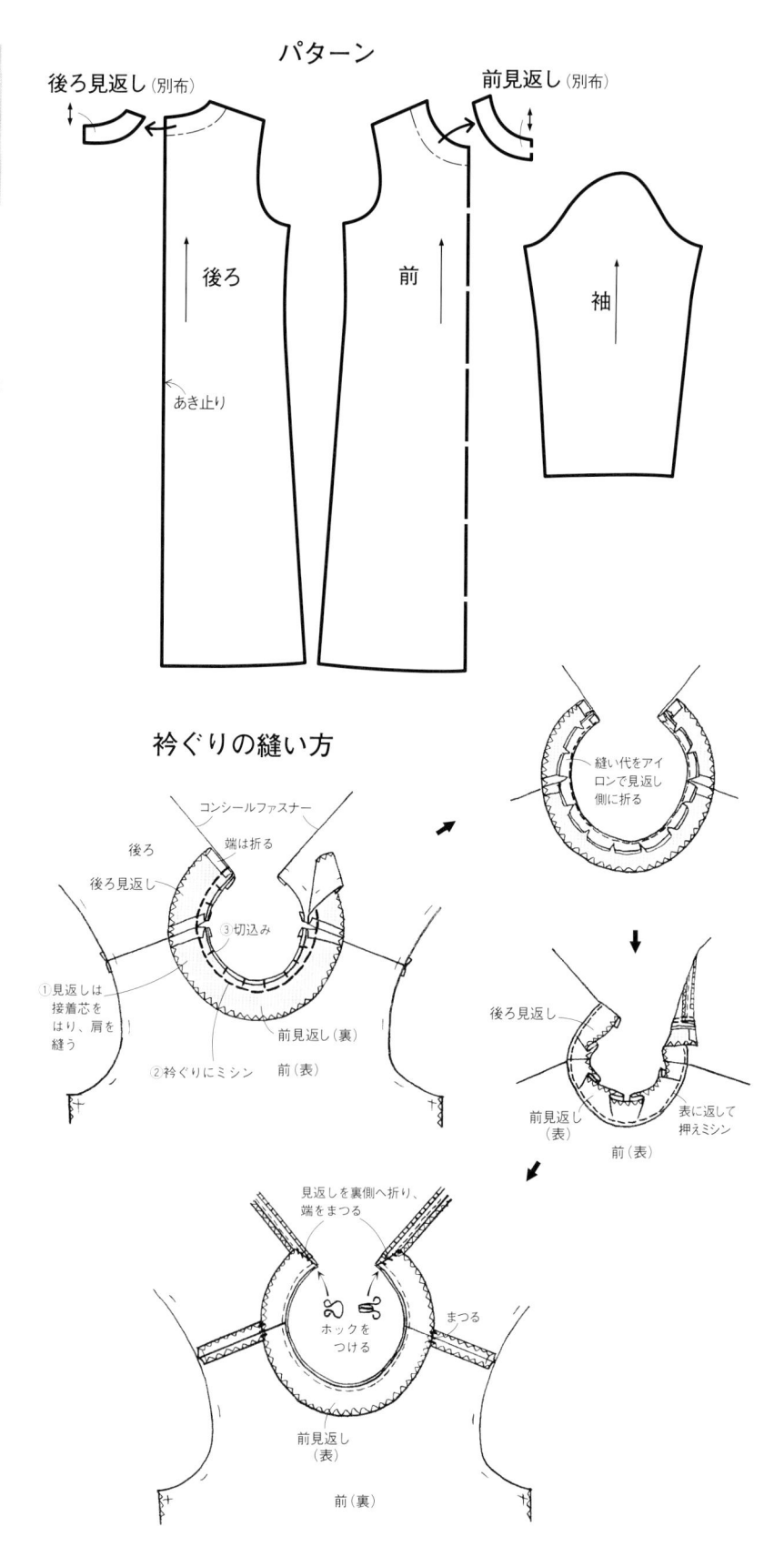

袖の縫い方とつけ方

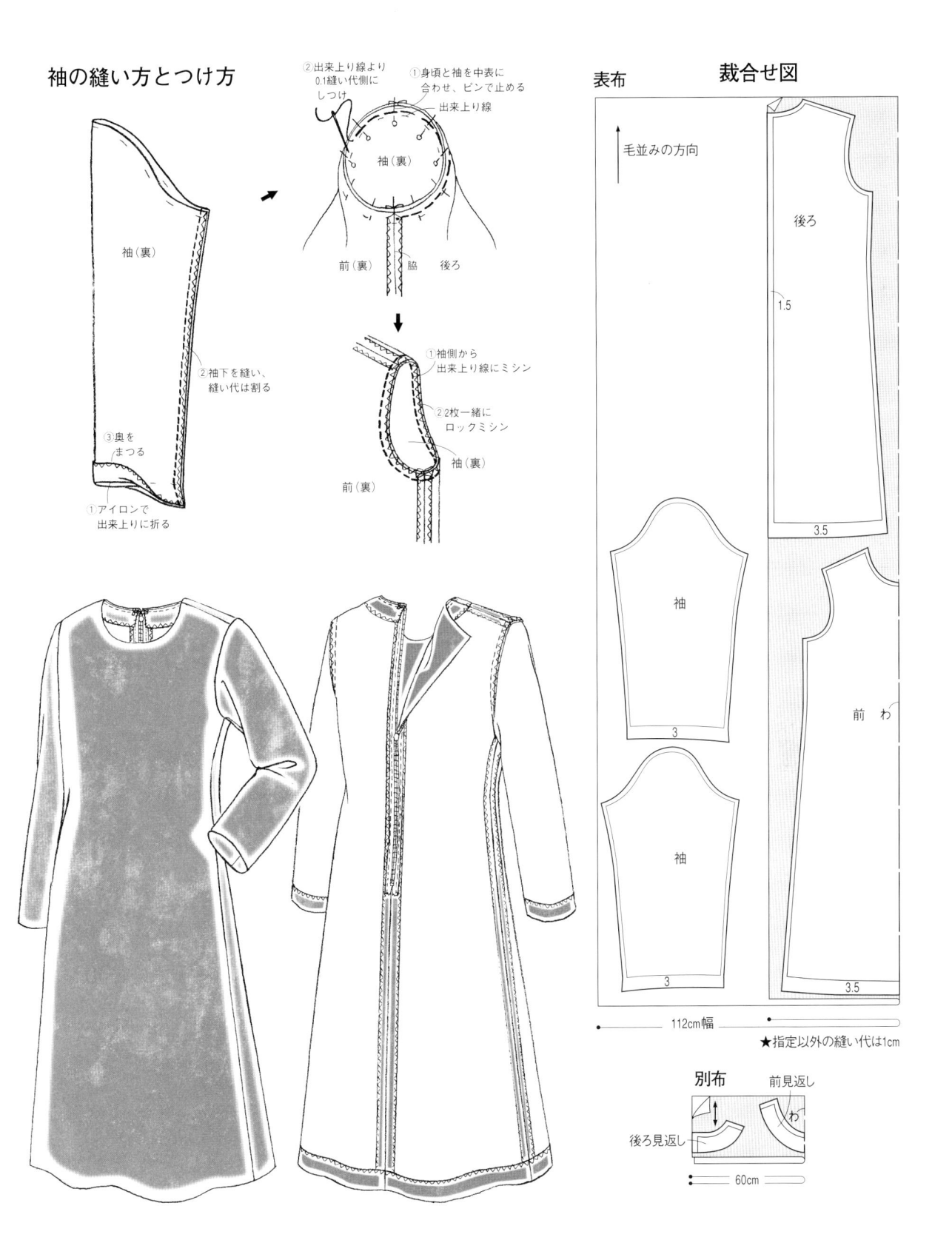

①アイロンで出来上りに折る
②袖下を縫い、縫い代は割る
③奥をまつる
袖（裏）

①身頃と袖を中表に合わせ、ピンで止める
出来上り線
②出来上り線より0.1縫い代側にしつけ
袖（裏）
前（裏）　脇　後ろ

①袖側から出来上り線にミシン
②2枚一緒にロックミシン
袖（裏）
前（裏）

裁合せ図

表布

毛並みの方向

後ろ　1.5　3.5

袖　3

袖　3

前 わ　3.5

— 112cm幅 —

★指定以外の縫い代は1cm

別布

前見返し
後ろ見返し　わ

— 60cm —

no.11 ……口絵16ページ
chiffon one-piece
シフォンのワンピース

●材料
表布（ポリエステルジョーゼット）118cm幅2.4m
接着芯（見返し分）40×30cm
接着テープ（衿ぐり、ファスナーつけ位置分）
1.5cm幅2m
別珍リボン0.8cm幅1.7m
コンシールファスナー長さ55cm
ホック1組み

●パターン
後ろ、前、袖、後ろ見返し、前見返し、後ろスカート、前スカート

●裁ち方のポイント
表布のポリエステルジョーゼットは柔らかくてすべりやすい素材なので、シーツなど大きな布の上に表布を広げて裁つと仕事が楽です。
接着芯や接着テープは、一般には白と黒ですが、縫い上がったとき透けて目立つことのないように、表布の色に合ったものを選びましょう。

●縫い方のポイント
身頃とスカートの縫合せは、スカートの前中心のポイントを起点に、左右の身頃をそれぞれ分けて縫います。また、衿ぐり見返しも身頃と中表に合わせたら、V字のポイントを起点に、左右の衿ぐりを分けて縫います。
ミシンかけは、テープ状に切った薄紙を布の下に敷いて一緒に縫うとうまくいきます。

●出来上がり寸法 (cm)

サイズ 名称	9	11	13
バスト	92	95	98
ウエスト	77	79.5	82.5
ヒップ	104	107	110
肩幅	38	39	40
袖丈	15.2	15.7	16.2
着丈		120	

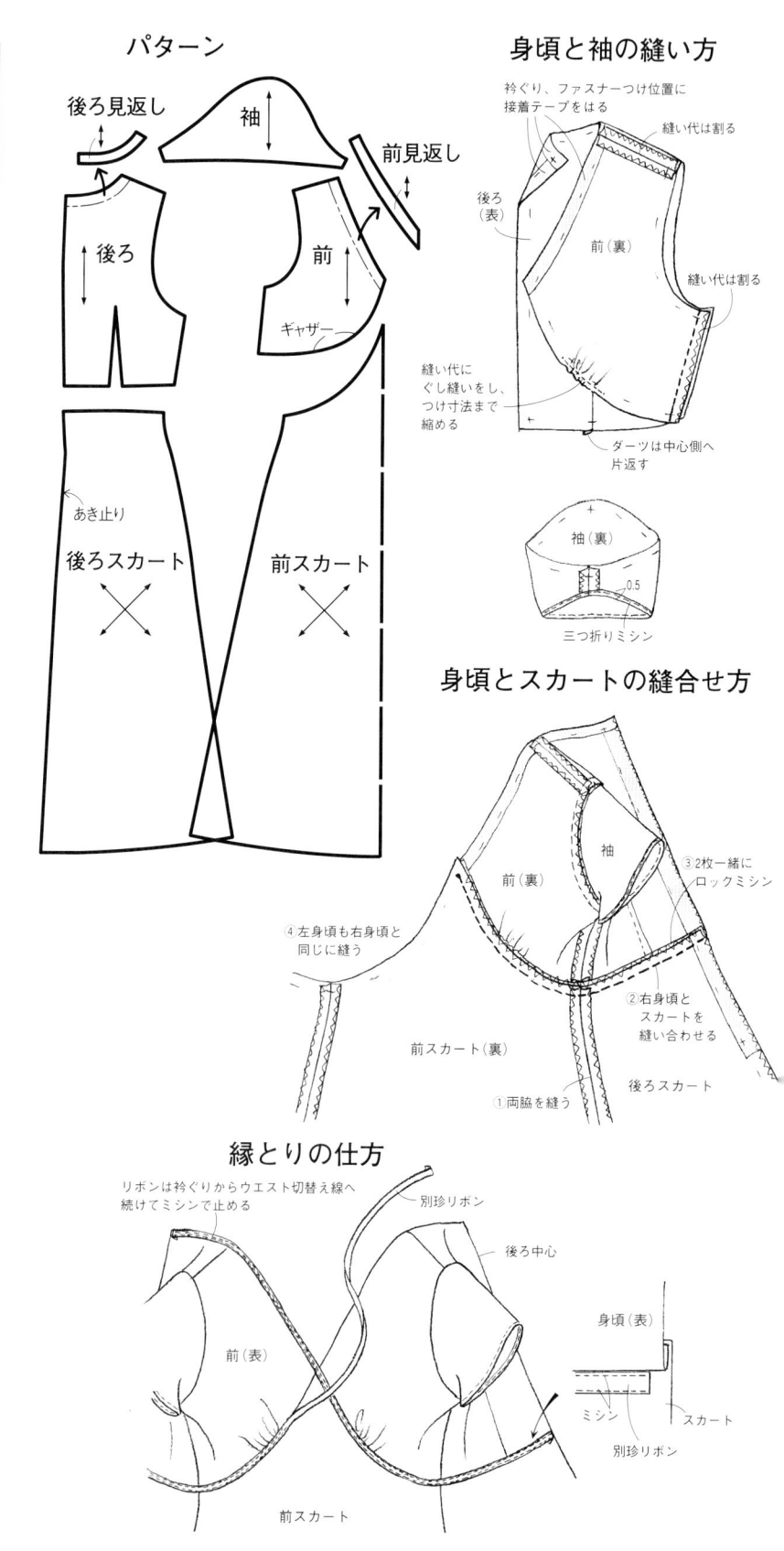

パターン

身頃と袖の縫い方

身頃とスカートの縫合せ方

縁とりの仕方

裁合せ図

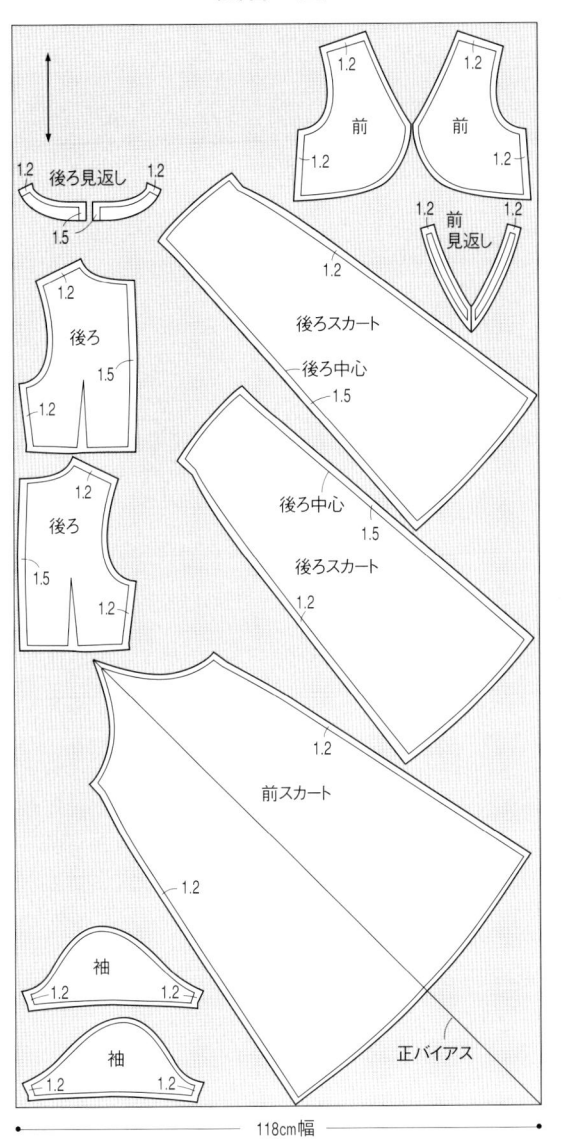

- 後ろ見返し 1.2 / 1.5
- 後ろ 1.2 / 1.5 / 1.2
- 前 1.2 / 1.2
- 前見返し 1.2
- 後ろスカート 1.2 / 後ろ中心 1.5
- 前スカート 1.2
- 袖 1.2
- 正バイアス
- 118cm幅

★指定以外の縫い代は1cm

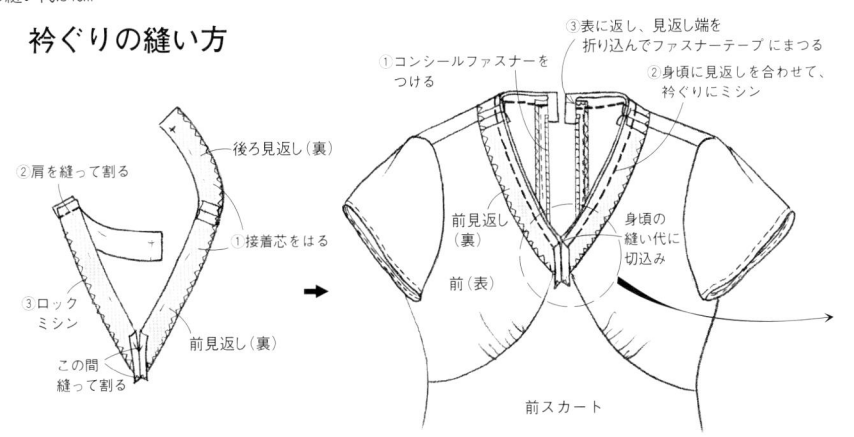

衿ぐりの縫い方

①接着芯をはる
②肩を縫って割る
③ロックミシン
後ろ見返し(裏)
前見返し(裏)
この間縫って割る

①コンシールファスナーをつける
②身頃に見返しを合わせて、衿ぐりにミシン
③表に返し、見返し端を折り込んでファスナーテープにまつる
前見返し(裏)
前(表)
身頃の縫い代に切込み
前スカート

ポイントまで縫う
ポイントまで縫う

no.12
……口絵17ページ
dotted one-piece
水玉のワンピース

●材料
表布(ポリエステル) 112cm幅2.6m
接着テープ(表布と裏布の衿ぐり、袖ぐり分、スカート切替え位置、ファスナーつけ位置分) 1cm幅6.5m
コンシールファスナー長さ44cm

●パターン
後ろ、前、後ろスカート、前スカート、結びひも

●裁ち方のポイント
身頃は2枚仕立てなので、表布と裏布のパターンは同じです。薄手素材の扱い方は56ページの説明も参考にしてください。

●縫い方のポイント
スカートの脇はバイアスになるので、伸ばさないように注意してミシンをかけます。その際、結びひもは右脇では、はさみ縫いにしますが、左脇はファスナーがつくため、縫い代に仮止めしておきます。

切替え線の縫合せ方は、まず2枚重ねの身頃とスカートを中表に合わせて左脇の前後5cm手前まで縫います。次に縫い残した部分の裏身頃をはねて、表身頃とスカートを縫い、コンシールファスナーをつけます。裏身頃は脇を折ってファスナーテープにまつりつけます。フリル回りと裾は細く三つ折りにしてミシンをかけますが、始末する長さが長いので、ミシンの三つ巻き縫い用のアタッチメントを使うと便利で、きれいにできます。

●出来上り寸法 (cm)

名称＼サイズ	9	11	13
バスト	91	94	97
ウエスト	82.5	85.5	88.5
ヒップ	93	96	99
背肩幅	34	35	36
着丈		110.5	

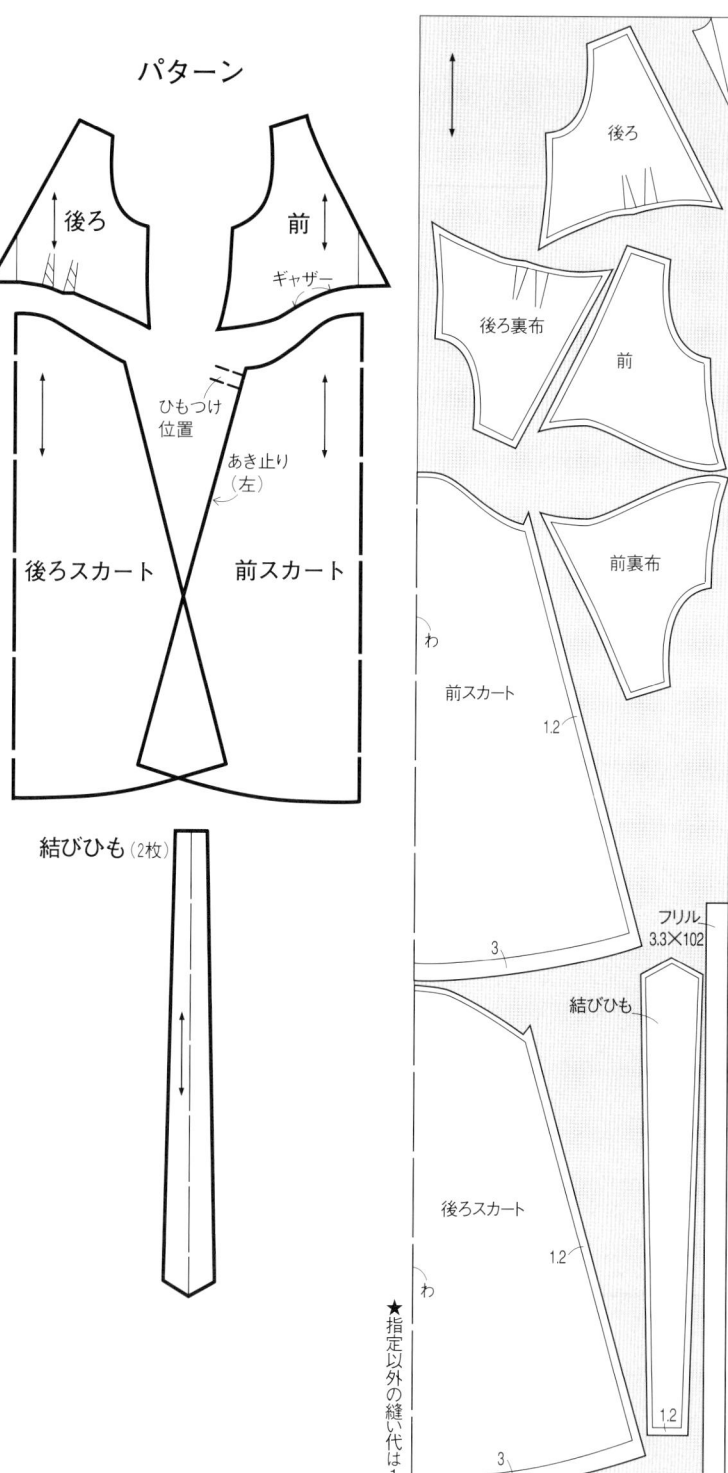

身頃の縫い方

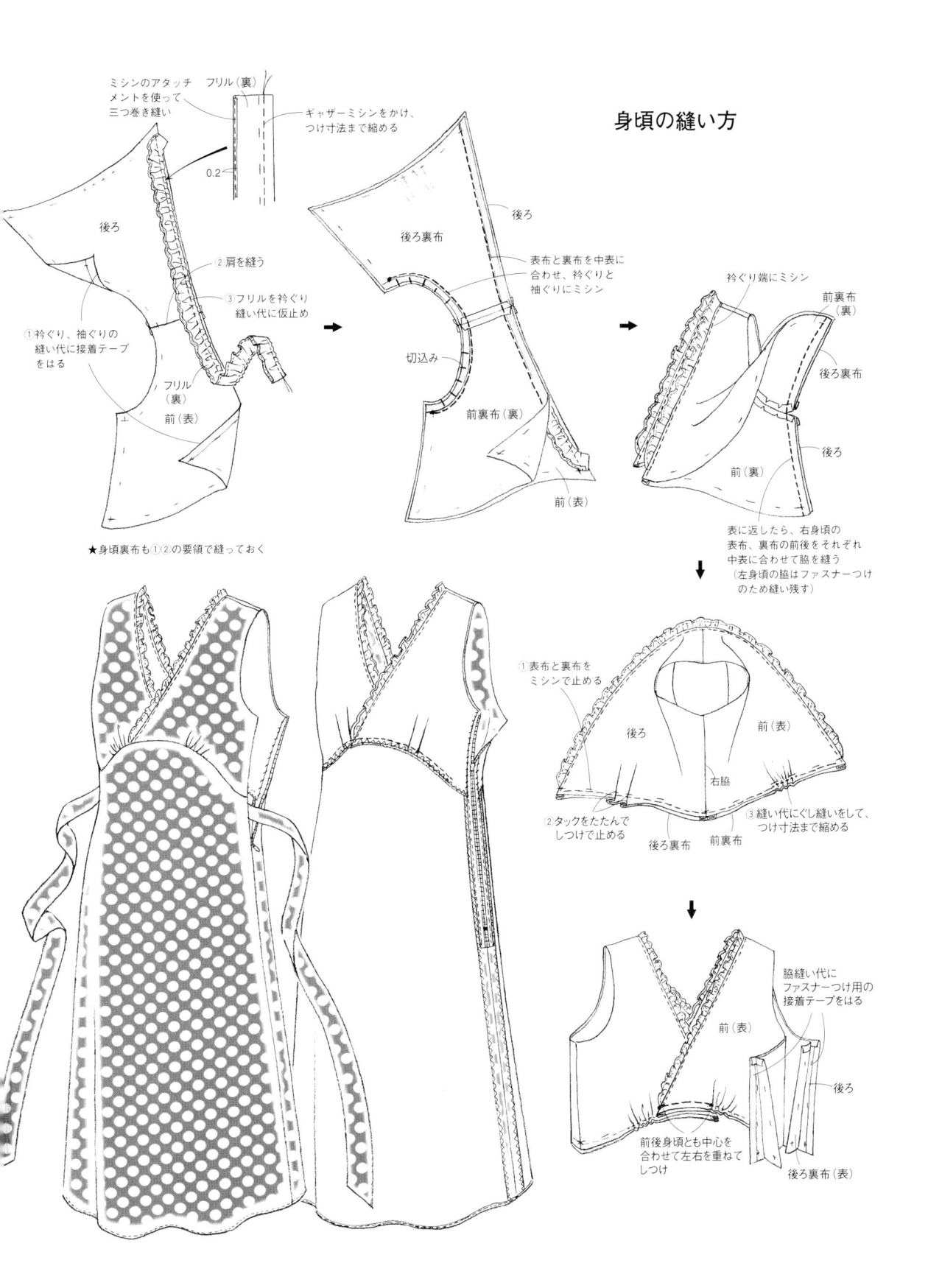

- ミシンのアタッチメントを使って三つ巻き縫い
- フリル（裏）
- 0.2
- ギャザーミシンをかけ、つけ寸法まで縮める
- 後ろ
- ①衿ぐり、袖ぐりの縫い代に接着テープをはる
- ②肩を縫う
- ③フリルを衿ぐり縫い代に仮止め
- フリル（裏）
- 前（表）

★身頃裏布も①②の要領で縫っておく

- 後ろ裏布
- 後ろ
- 表布と裏布を中表に合わせ、衿ぐりと袖ぐりにミシン
- 切込み
- 前裏布（裏）
- 前（表）

- 衿ぐり端にミシン
- 前裏布（裏）
- 後ろ裏布
- 後ろ
- 前（裏）

表に返したら、右身頃の表布、裏布の前後をそれぞれ中表に合わせて脇を縫う
（左身頃の脇はファスナーつけのため縫い残す）

- ①表布と裏布をミシンで止める
- 後ろ
- 前（表）
- 右脇
- ②タックをたたんでしつけで止める
- 後ろ裏布
- 前裏布
- ③縫い代にぐし縫いをして、つけ寸法まで縮める

- 脇縫い代にファスナーつけ用の接着テープをはる
- 前（表）
- 後ろ
- 前後身頃とも中心を合わせて左右を重ねてしつけ
- 後ろ裏布（表）

no.13 …口絵18ページ
nostalgic dress
ノスタルジックなワンピース

●材料
表布（ビスコースレーヨン）138cm幅2.1m
接着芯（見返し、衿ぐりの力布分）90cm幅20cm
接着テープ（ファスナーつけ位置分）1.5cm幅1.2m
レース1.2cm幅80cm
コンシールファスナー長さ53cm
ホック1組み

●パターン
後ろ、前、袖、後ろ見返し、前見返し

●裁ち方のポイント
表布には柄の上下があるので、裁合せ図のようにパターンを一方方向に配置します。なお、無地扱いのできる布地の場合は、布を二つ折りにして前と後ろを差し込んで裁てるので、用尺は少なくてすみます。

●縫い方ポイント
衿ぐりのレースは身頃と見返しではさみ縫いにするので、あらかじめ表衿ぐりにそってレースを仮止めしておきます。仮止めミシンの衿ぐりの角は、ミシン針を刺したまま身頃のほうをまっすぐにし、レースを縫い止めます。またレースを簡単につけたい場合は、見返しを縫い返したあとで衿ぐりの裏側にレースを当て、表からミシンで押さえる方法もあります。
ひもはウエストダーツにはさみ縫いにしますが、縫う前にずれないようにダーツの内側に仮止めをしておくといいでしょう。

●出来上り寸法 (cm)

サイズ 名称	9	11	13
バスト	91.5	94.5	97.5
背肩幅	38	39	40
袖丈	12	12.4	12.8
着丈		120	

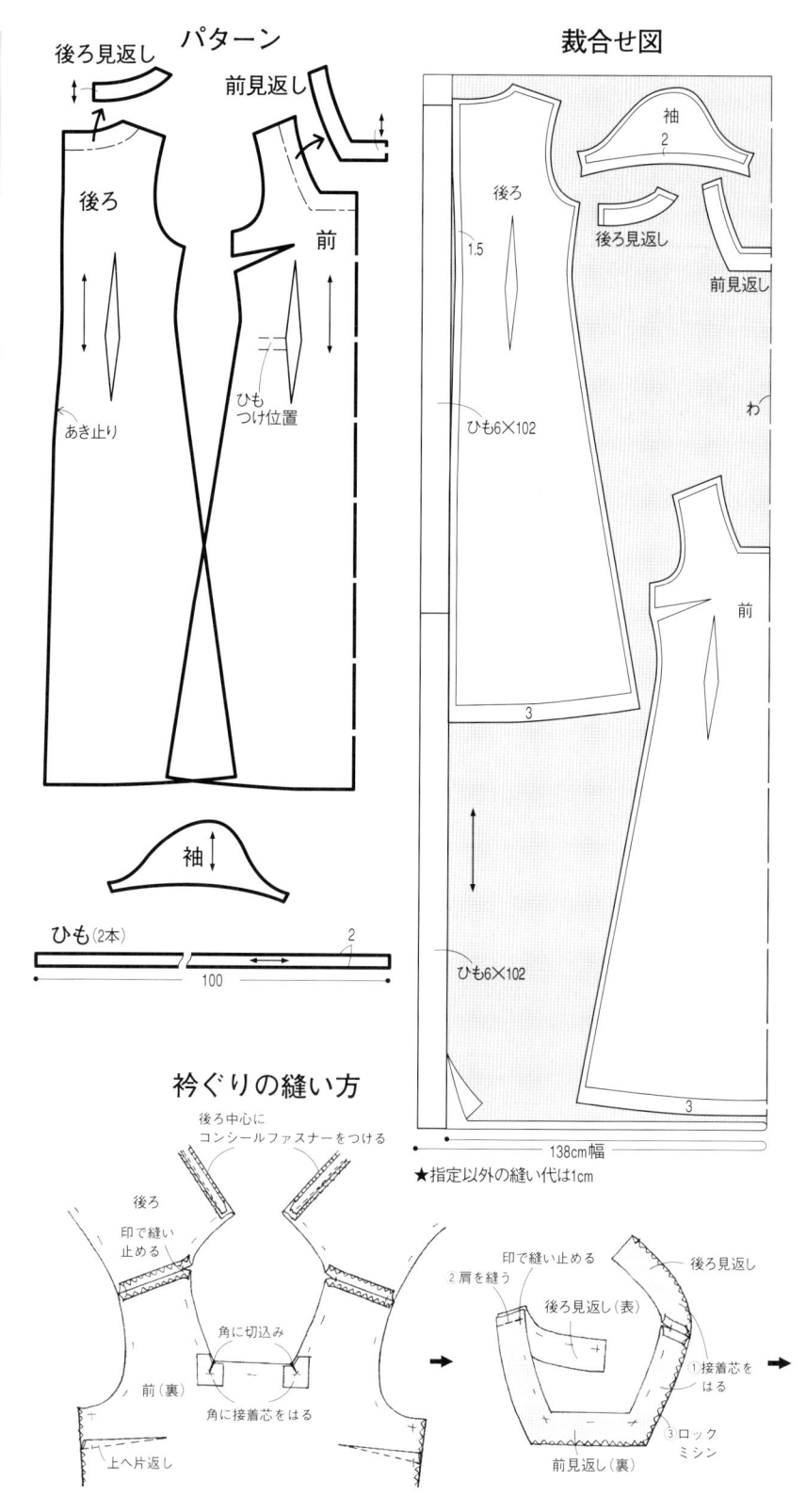

★指定以外の縫い代は1cm

レースの仮止めの仕方

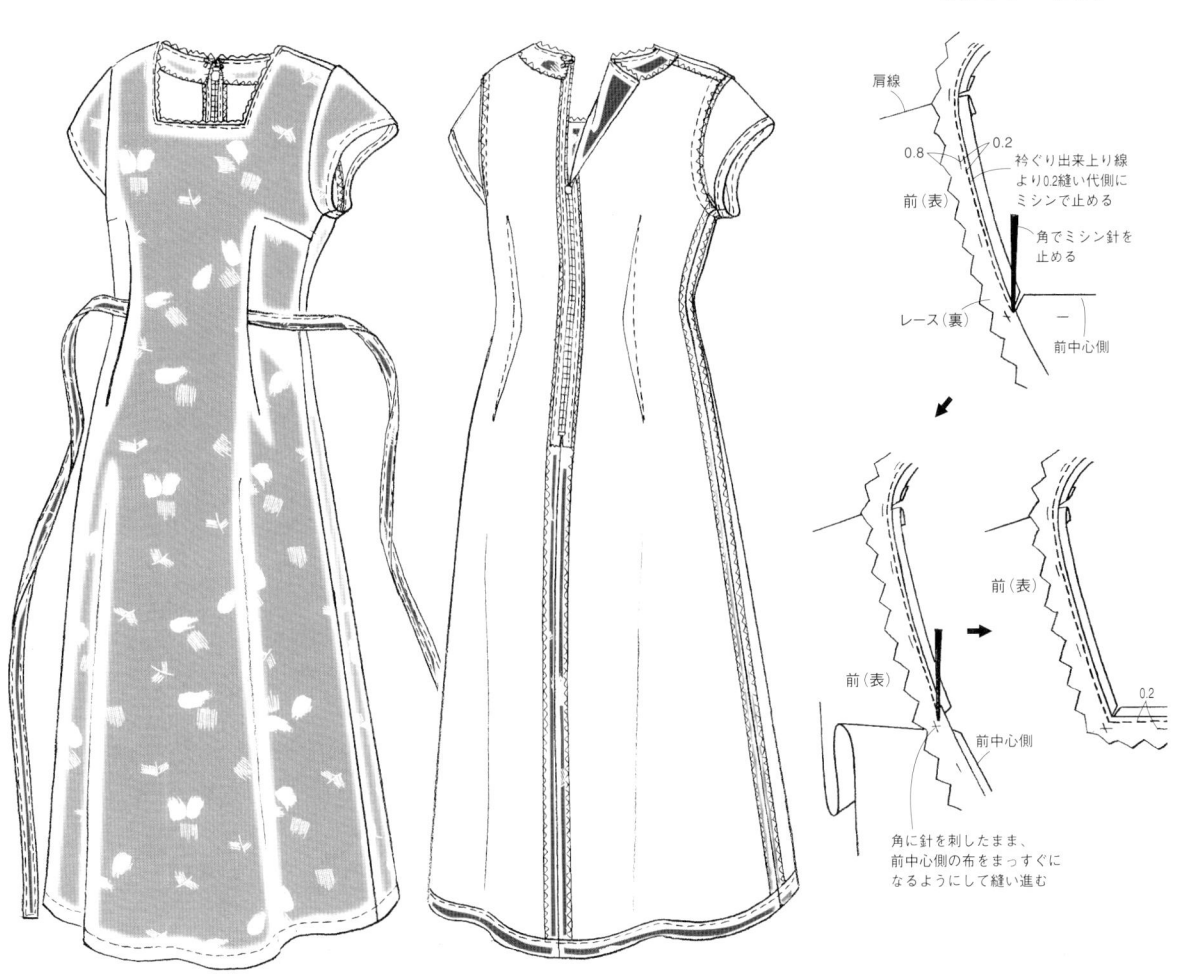

肩線
0.8 0.2
前(表)
衿ぐり出来上り線より0.2縫い代側にミシンで止める
角でミシン針を止める
レース(裏)
前中心側

前(表)
前(表)
前中心側
0.2
角に針を刺したまま、前中心側の布をまっすぐになるようにして縫い進む

前ウエストダーツの縫い方

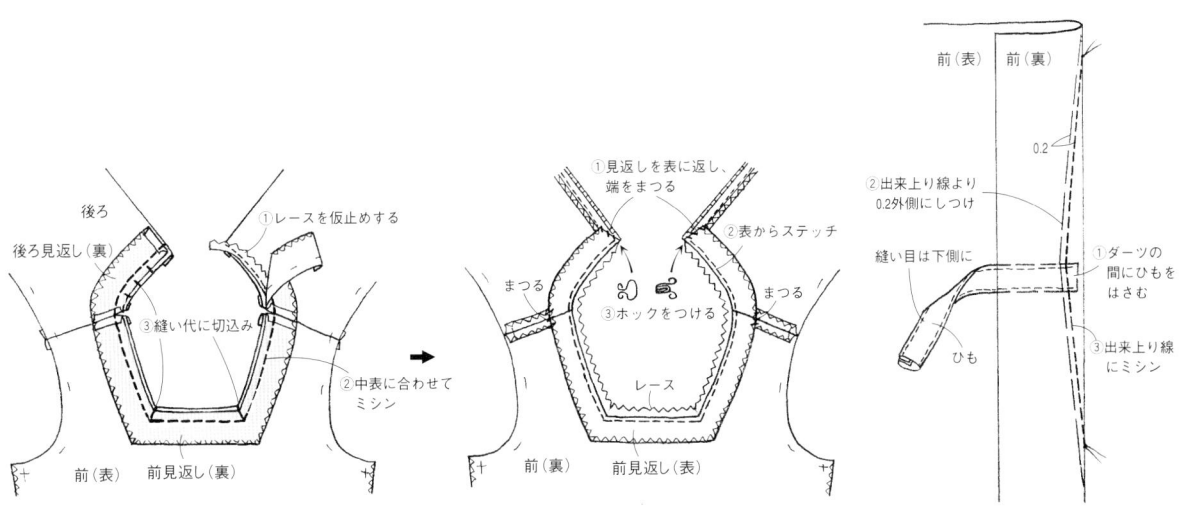

前(表) 前(裏)
0.2
②出来上り線より0.2外側にしつけ
①ダーツの間にひもをはさむ
縫い目は下側に
ひも
③出来上り線にミシン

後ろ
後ろ見返し(裏)
①レースを仮止めする
③縫い代に切込み
②中表に合わせてミシン
前(表) 前見返し(裏)

①見返しを表に返し、端をまつる
②表からステッチ
まつる
まつる
③ホックをつける
レース
前(裏) 前見返し(表)

no.15 tucked skirt
タックスカート

……口絵21ページ

●材料
表布（ポリエステル）108cm幅1.5m
接着芯（ベルト、ファスナーつけ位置分）90cm幅70cm
ファスナー長さ20cm
ボタン直径1.8cmを1個

●パターン
後ろ、前、ベルト

●裁ち方のポイント
前と後ろのパターンは、ウエストラインと脇のカーブの微妙な寸法差だけなので、裁ったあと区別がつくように目印をつけておきましょう。
ベルト布は、裏ベルト側に布の耳を利用する場合がありますが、布の織縮みや見栄えの点からも、布の耳は細く切り落としてからベルト布を裁ったほうがいいでしょう。
印つけは、両面チョークペーパーを使うと便利です。ただしこの場合は、布を外表に合わせて裁断します。

●縫い方のポイント
タックは折り山をつまんでウエスト中心で突き合わせるようにたたみます。柔らかな線を出したいので、アイロンはタックにはかけず、ウエスト位置を押さえる程度にしておきます。
ベルトつけは、縫い返したあとで表縫い目に落しミシンをかけて裏ベルトを止めつける方法です。落しミシンをかけるとき、ベルトとスカートに段差があるので、押え金をファスナー押えに替え、押え金にベルトを当てるようにするとまっすぐかけられます。

パターン

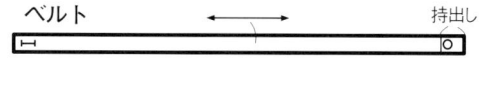

裁合せ図

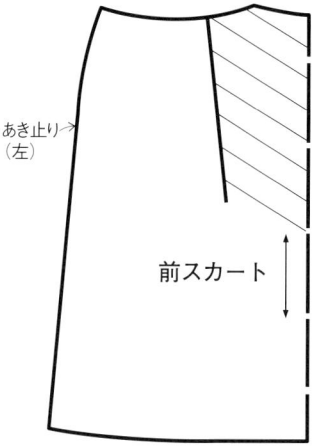

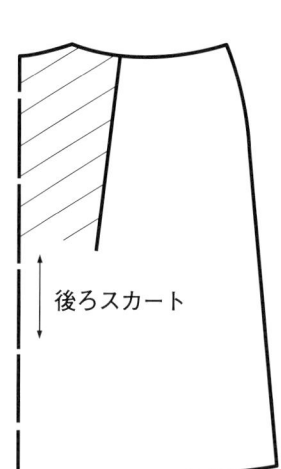

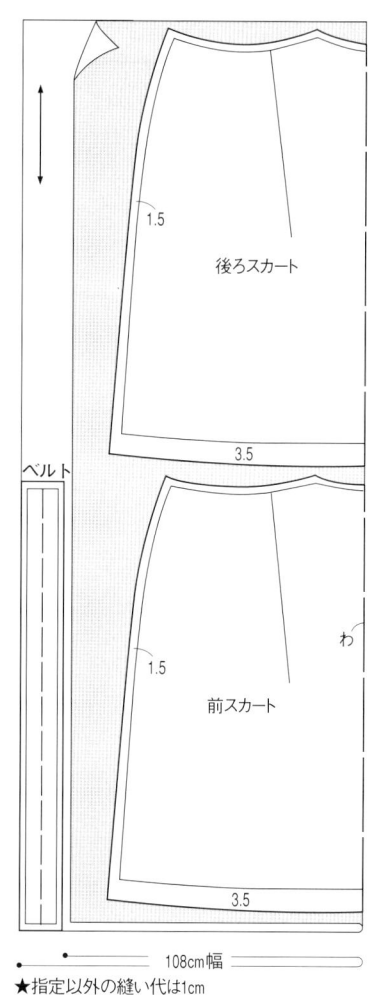

★指定以外の縫い代は1cm

タックのたたみ方

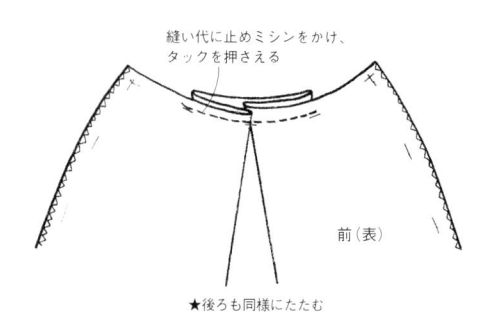

縫い代に止めミシンをかけ、タックを押さえる

前（表）

★後ろも同様にたたむ

●出来上り寸法　　　　（cm）

サイズ 名称	9	11	13
ウエスト	65.5	68.5	71.5
スカート丈		66	

ベルトのつけ方

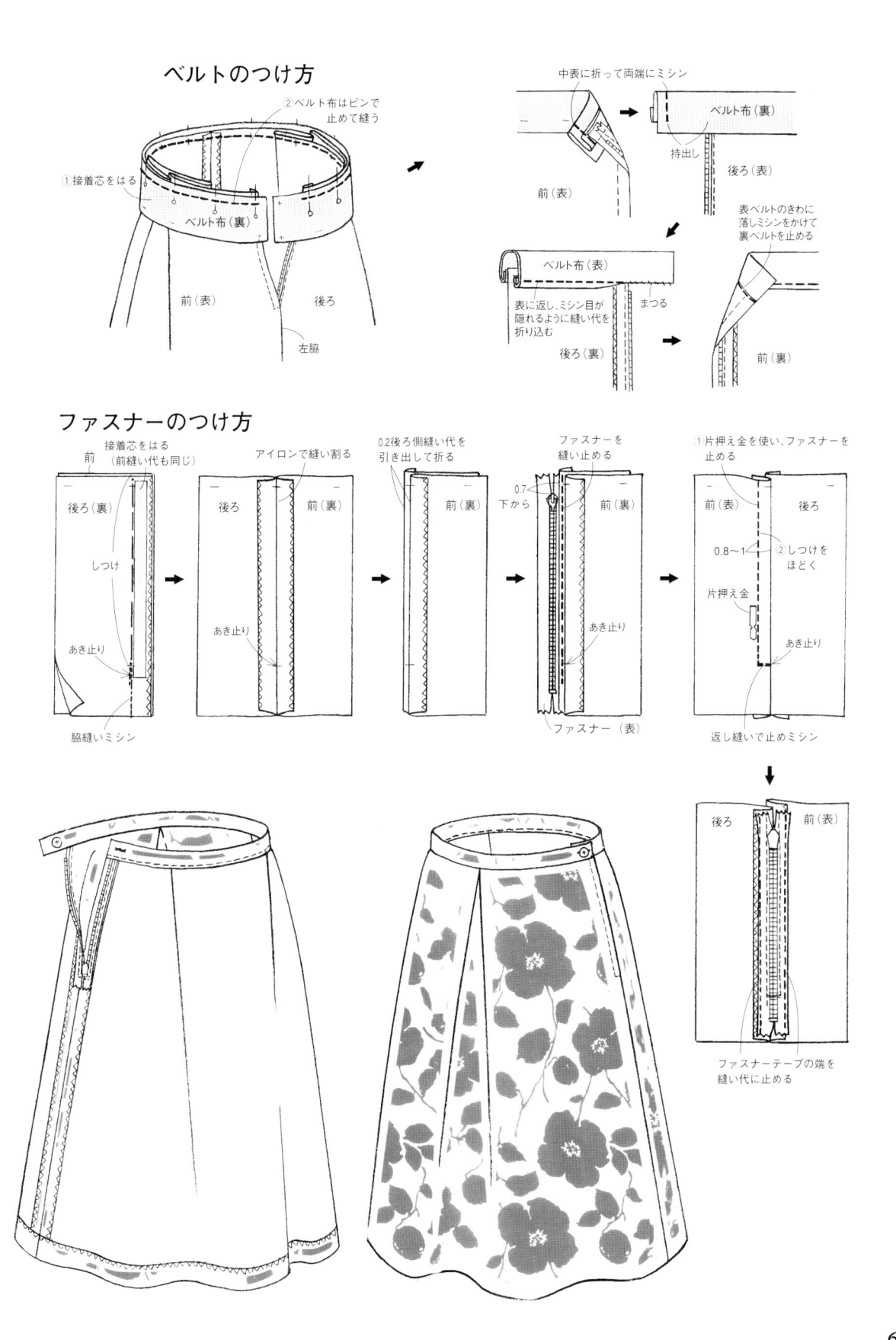

- ①接着芯をはる
- ②ベルト布はピンで止めて縫う

ベルト布(裏)
前(表)　後ろ　左脇

中表に折って両端にミシン
ベルト布(裏)
持出し
前(表)　後ろ(表)

表に返し、ミシン目が隠れるように縫い代を折り込む
ベルト布(表)
後ろ(裏)　まつる

表ベルトのきわに落しミシンをかけて裏ベルトを止める
後ろ　前(裏)

ファスナーのつけ方

接着芯をはる（前縫い代も同じ）
前
後ろ(裏)
しつけ
あき止り
脇縫いミシン

アイロンで縫い割る
後ろ(裏)　前(裏)
あき止り

0.2後ろ側縫い代を引き出して折る
前(裏)

ファスナーを縫い止める
0.7
下から
前(裏)
あき止り
ファスナー(表)

①片押え金を使い、ファスナーを止める
前(表)　後ろ
0.8〜1
②しつけをほどく
片押え金
あき止り
返し縫いで止めミシン

後ろ　前(表)
ファスナーテープの端を縫い代に止める

63

no.16
pleated skirt
プリーツスカート

……口絵22ページ

● 材料
表布（ウールと麻の混紡）168cm幅1.6m
別布（薄手木綿・袋布分）40×30cm
裏布90cm幅1.8m
接着芯（ベルト分）90cm幅70cm
接着テープ（ポケット口、ファスナーつけ位置分）1.5cm幅90cm
コンシールファスナー長さ20cm
ボタン直径1.8cmを1個

● パターン
腰ではくスカートですから、ウエストの出来上り寸法が大きくなっています。
後ろ、前、前脇布、袋布、ベルト、後ろ裏布、前裏布

● 裁ち方のポイント
表布のパターンは、陰プリーツの中心に縦の布目が通るように配置して裁断します。
表布は中肉の布地なので、ポケットの袋布は薄手木綿で裁って、薄くすっきり仕立てます。
裏布は裏布のパターンを使って裁断します。
脇には裾さばきがいいようにスリットを入れますが、その分、縫い代を多めにつけます。

● 縫い方のポイント
ボックスプリーツは切込みを入れたようなシャープな仕上りにしたいものです。まずプリーツ分を二つ折りにし、ウエストから縫止りまでを縫い、縫止りから裾まではしつけをしておきます。このしつけはプリーツの折り山を決めて、次の作業をしやすくするためのものです。プリーツを出来上りの状態に折りたたんだら、しつけを取って脇縫いをし、裾を上げます。

● 出来上り寸法 (cm)

サイズ 名称	9	11	13
ウエスト	67	70	73
ヒップ	94	97	100
スカート丈		82	

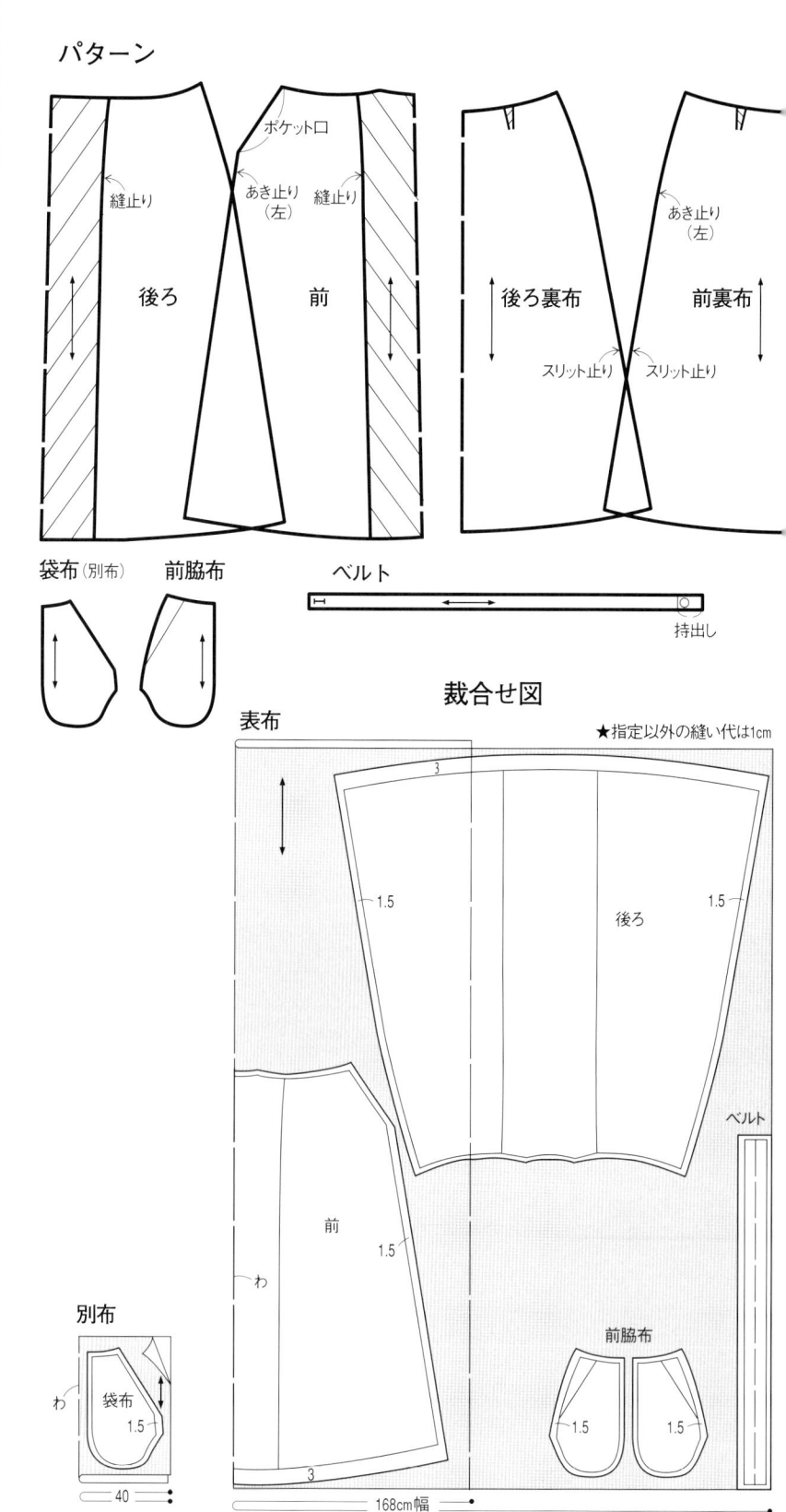

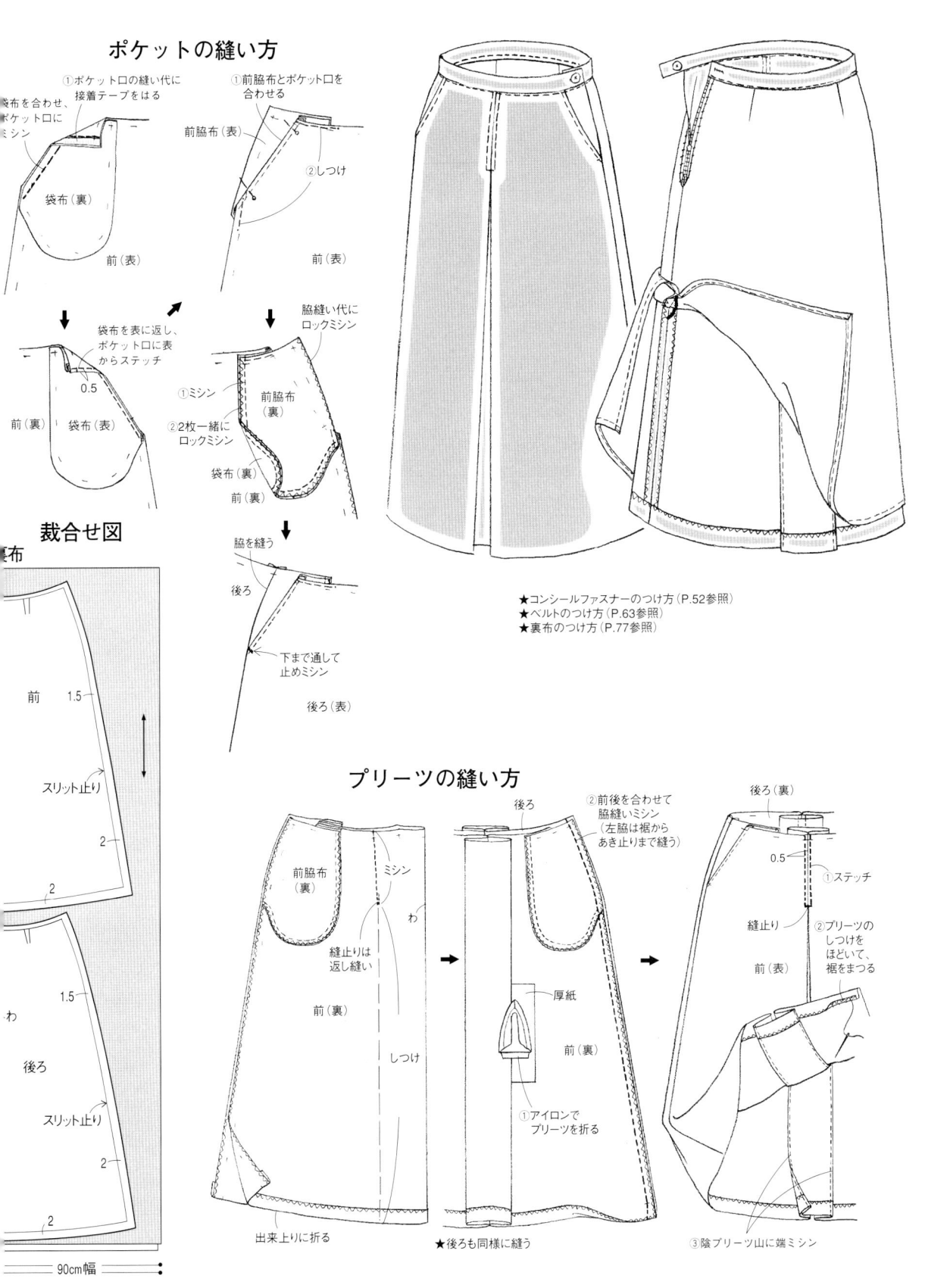

ポケットの縫い方

①ポケット口の縫い代に接着テープをはる
袋布を合わせ、ポケット口にミシン
袋布(裏)
前(表)

①前脇布とポケット口を合わせる
②しつけ
前脇布(表)
前(表)

袋布を表に返し、ポケット口に表からステッチ
0.5
前(裏)
袋布(表)

脇縫い代にロックミシン
①ミシン
②2枚一緒にロックミシン
前脇布(裏)
袋布(裏)
前(裏)

脇を縫う
後ろ
下まで通して止めミシン
後ろ(表)

★コンシールファスナーのつけ方(P.52参照)
★ベルトのつけ方(P.63参照)
★裏布のつけ方(P.77参照)

裁合せ図

裏布
前
1.5
スリット止り
2
2

1.5
わ
後ろ
スリット止り
2
2

90cm幅

プリーツの縫い方

前脇布(裏)
ミシン
縫止りは返し縫い
前(裏)
しつけ
出来上りに折る

後ろ
②前後を合わせて脇縫いミシン(左脇は裾からあき止りまで縫う)
わ
厚紙
前(裏)
①アイロンでプリーツを折る
★後ろも同様に縫う

後ろ(裏)
0.5
①ステッチ
縫止り
前(表)
②プリーツのしつけをほどいて、裾をまつる
③陰プリーツ山に端ミシン

65

no.17 …… 口絵25ページ
roll-collar one-piece
ロールカラーのワンピース

●材料
表布（ウールレーヨン）154cm幅1.4m
接着芯（衿、袖ぐり見返し分）90cm幅50cm
接着テープ（衿ぐり分）1cm幅70cm、（袖ぐり、ファスナーつけ位置分）1.5cm幅2.1m
コンシールファスナー長さ55cm
ホック1組み

●パターン
後ろ、前、衿、後ろ袖ぐり見返し、前袖ぐり見返し

●裁ち方のポイント
細かいスターチェックですが、後ろ中心と脇は横の柄が合うように柄合せをして裁ちます。
ロールカラーは衿幅を二つ折りにして着るので、折り山がねじれないように、きちんと正バイアスで裁ちます。
衿と見返しの接着芯は、それぞれ表布と同じ布目で裁ったものを使います。

●縫い方のポイント
衿は中表に折って両端を縫い、表に返します。衿つけは、前衿ぐりにギャザーを寄せた身頃に裏衿を中表に合わせて縫い、表衿を衿つけミシンのきわにまつりつけます。後ろ衿の衿こし部分に、衿が開かないようにホックをつけておきます。

●出来上り寸法　(cm)

名称＼サイズ	9	11	13
バスト	91.5	94.5	97.5
ヒップ	99.5	102.5	105.5
背肩幅	36	37	38
着丈		96	

パターン

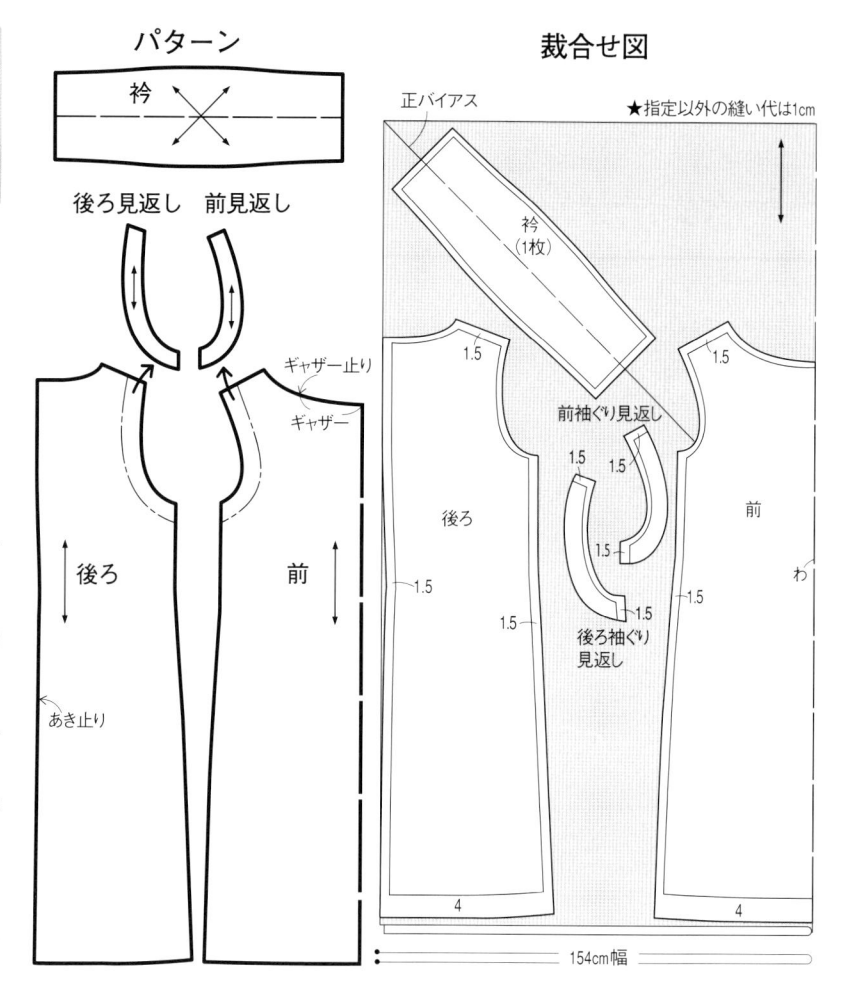

裁合せ図
★指定以外の縫い代は1cm

縫い合わせる前の準備

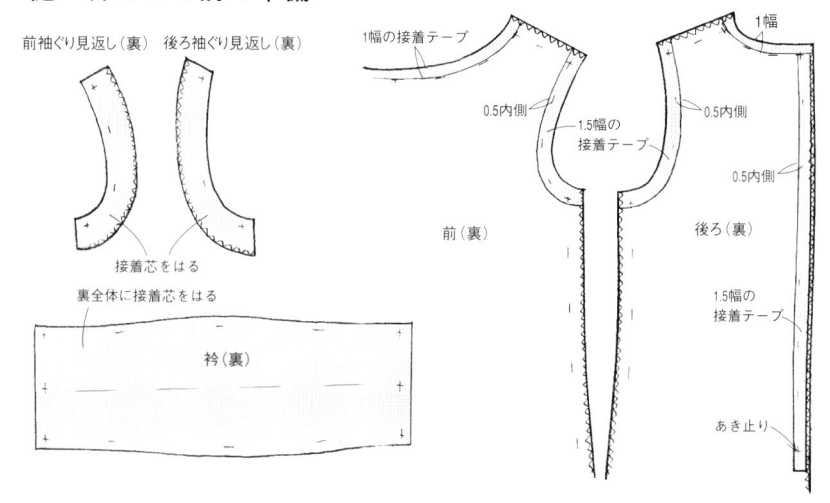

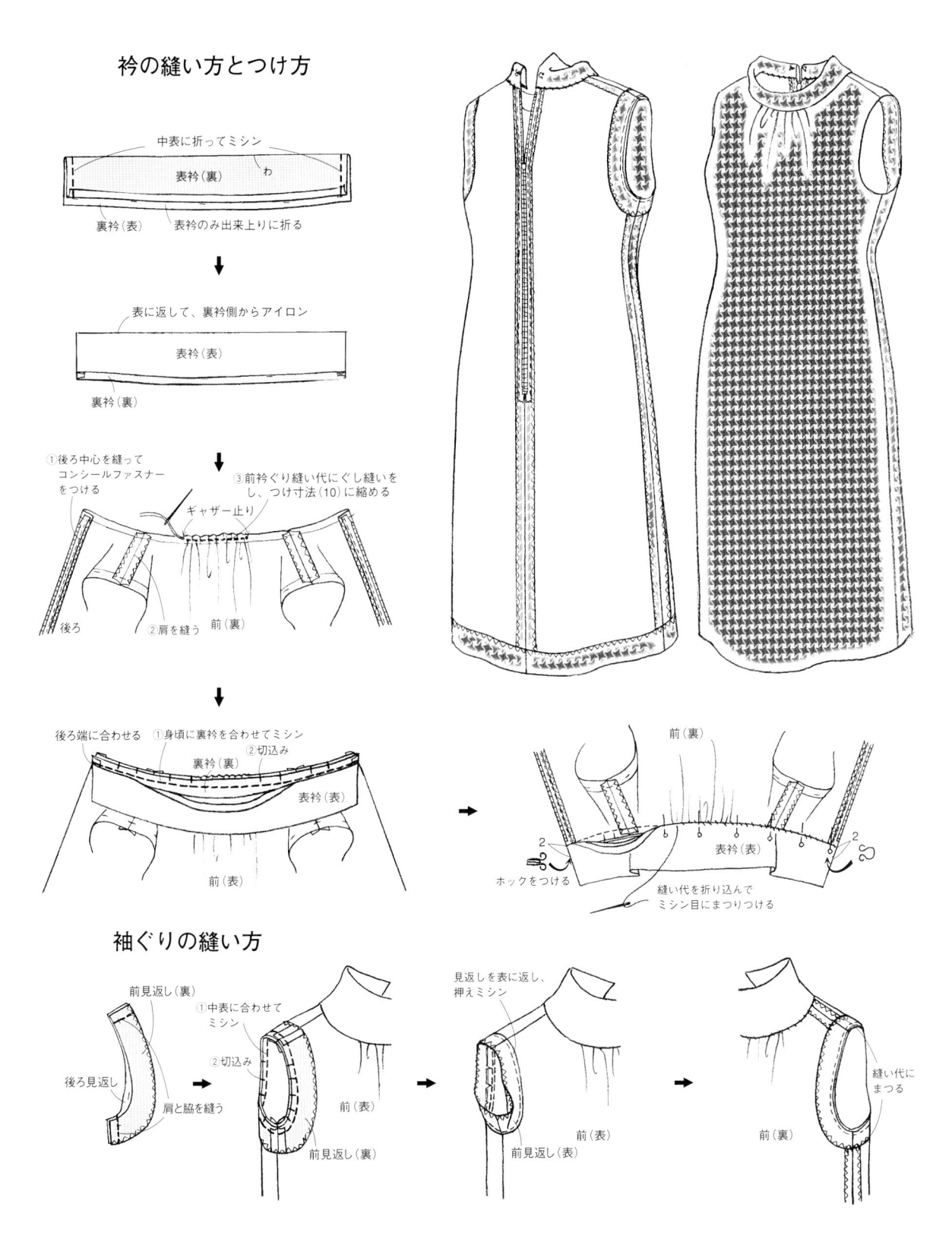

衿の縫い方とつけ方

中表に折ってミシン
表衿(裏)
わ
裏衿(表)　表衿のみ出来上りに折る

表に返して、裏衿側からアイロン
表衿(表)
裏衿(裏)

①後ろ中心を縫ってコンシールファスナーをつける
③前衿ぐり縫い代にぐし縫いをし、つけ寸法(10)に縮める
ギャザー止り
後ろ
②肩を縫う
前(裏)

後ろ端に合わせる
①身頃に裏衿を合わせてミシン
裏衿(裏)
②切込み
表衿(表)
前(表)

前(裏)
2
表衿(表)
2
ホックをつける
縫い代を折り込んでミシン目にまつりつける

袖ぐりの縫い方

前見返し(裏)
後ろ見返し
①中表に合わせてミシン
②切込み
肩と脇を縫う
前(表)
前見返し(裏)

見返しを表に返し、押えミシン
前(表)
前見返し(表)

縫い代にまつる
前(裏)

no.18 ……口絵26ページ
china blouse
麻のチャイナブラウス

●材料
表布(麻)110cm幅1.2m
接着芯(衿、見返し分)60×20cm
接着テープ(ファスナーつけ位置分)1cm幅50cm
コンシールファスナー長さ22cm

●パターン
後ろ、前、衿、袖、見返し

●裁ち方のポイント
表布は、布端の一方がカットワークになっている布地です。身頃の裾にカットワークがくるように裁ちますが、カットワークのモチーフは一つずつが大きく、脇でずれると目立つので、パターンは身頃の中心でモチーフが左右対称になるように置きます。

●縫い方のポイント
袖の切替え線は身頃、袖ともにバイアスになっているので、縫い合わせるときに伸ばさないように注意してください。
チャイナボタンの布ループは、共布のバイアステープを0.5cm幅に縫い返して作りますが、伸びて幅が狭くならないように、あらかじめバイアステープを伸ばしてから使います。玉を結ぶ側は端から組んで作るので、布ループは長めに用意しておきましょう。玉を通す側は布ループを二つ折りにして作り、玉結びの側も同様に、身頃の衿元にミシンで縫い止めます。

パターン

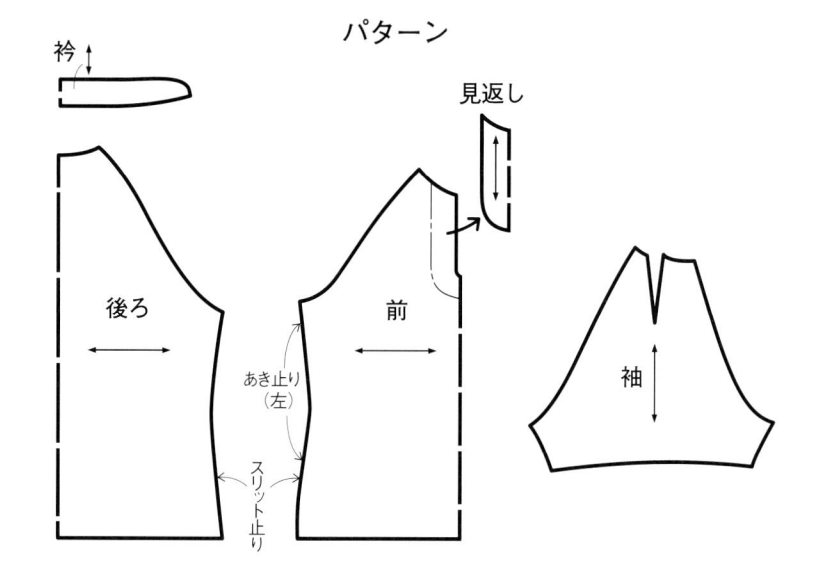

衿　見返し　後ろ　前　袖　あき止り(左)　スリット止り

裁合せ図

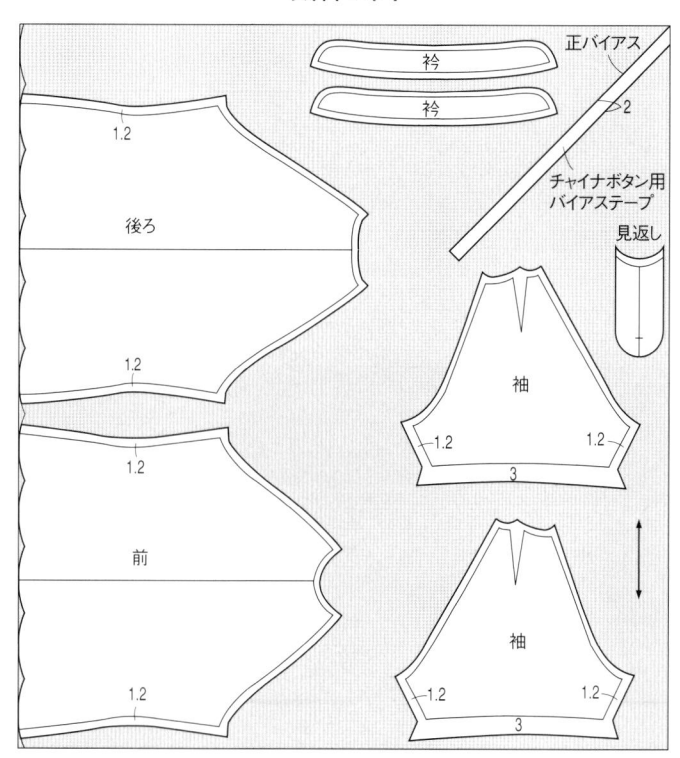

衿　正バイアス　チャイナボタン用バイアステープ　見返し　後ろ　前　袖

110cm幅
★指定以外の縫い代は1cm

●出来上り寸法　(cm)

サイズ 名称	9	11	13
バスト	94.5	97.5	100.5
ヒップ	96	99	102
ゆき(後ろ中心〜袖口)	37	38	39
着丈		56	

袖のつけ方

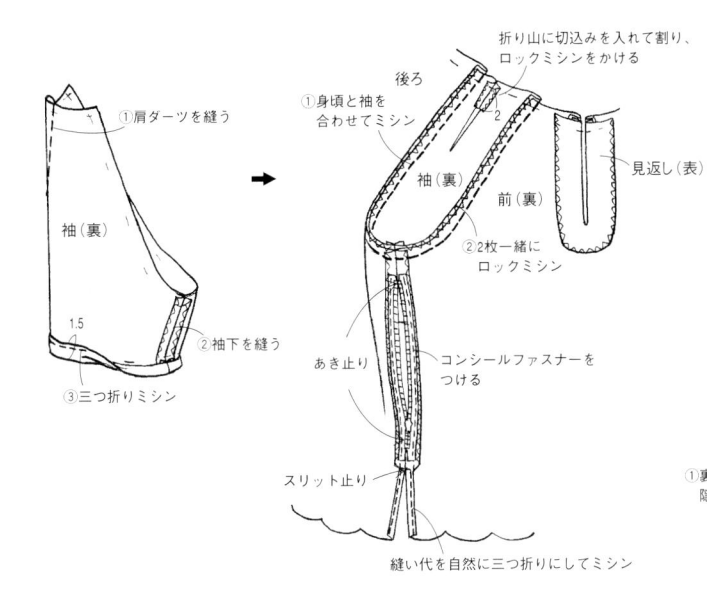

- ①肩ダーツを縫う
- 袖（裏）
- 1.5
- ②袖下を縫う
- ③三つ折りミシン

- 折り山に切込みを入れて割り、ロックミシンをかける
- 後ろ
- ①身頃と袖を合わせてミシン
- 袖（裏）
- 前（裏）
- 見返し（表）
- ②2枚一緒にロックミシン
- あき止り
- コンシールファスナーをつける
- スリット止り
- 縫い代を自然に三つ折りにしてミシン

衿の縫い方とつけ方

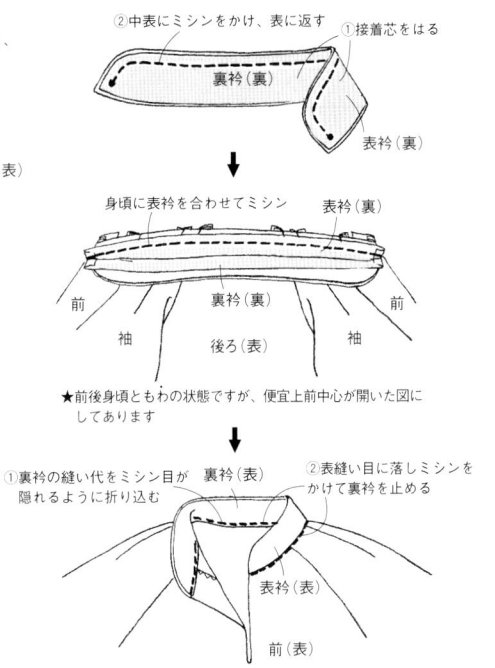

- ②中表にミシンをかけ、表に返す
- ①接着芯をはる
- 裏衿（裏）
- 表衿（裏）

- 身頃に表衿を合わせてミシン
- 表衿（裏）
- 前
- 裏衿（裏）
- 前
- 袖
- 後ろ（表）
- 袖

★前後身頃ともわの状態ですが、便宜上前中心が開いた図にしてあります

- ①裏衿の縫い代をミシン目が隠れるように折り込む
- 裏衿（表）
- ②表縫い目に落しミシンをかけて裏衿を止める
- 表衿（表）
- 前（表）

チャイナボタンの作り方

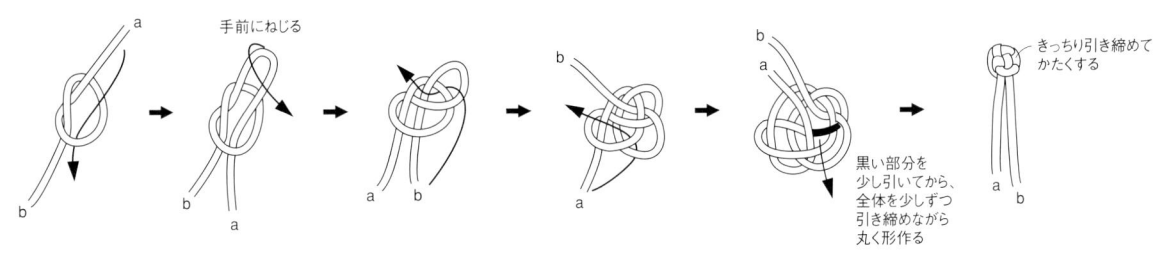

a / b → 手前にねじる → a b → b a → b / a → きっちり引き締めてかたくする
黒い部分を少し引いてから、全体を少しずつ引き締めながら丸く形作る

チャイナボタンのつけ方

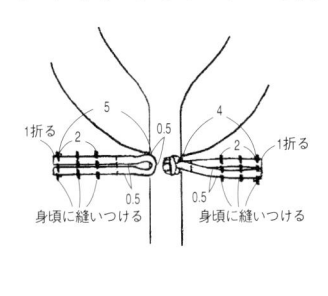

- 1折る 5 2 0.5 0.5 2 4 1折る
- 0.5 0.5
- 身頃に縫いつける　身頃に縫いつける

★前あきの作り方はP.47参照
★コンシールファスナーのつけ方はP.52参照

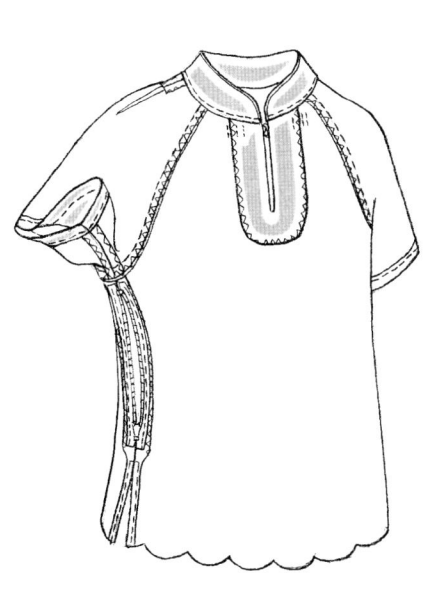

no.14 ……口絵20ページ
woolen one-piece
ウールのワンピース

●材料
表布(ウール)152cm幅1.5m
裏布90cm幅2.1m
接着芯(衿ぐり、袖ぐり見返し分)90cm幅30cm
接着テープ(ファスナーつけ位置分)1cm幅1.2m
別珍リボン0.9cm幅2.7m
コンシールファスナー長さ53cm
ホック1組み

●パターン
後ろ、前、前後裾切替え布、後ろ衿ぐり見返し、前衿ぐり見返し、後ろ袖ぐり見返し、前袖ぐり見返し

●裁ち方ポイント
表布はウール地にばらの柄のフロッキング加工がしてある布なので、パターンは逆毛方向に置きます。
裏布は、表布から見返し分をカットしたパターンを使い、裾は裾切替え線の位置にします。

●縫い方ポイント
パネルダーツは、そのままつまんで縫うとねじれが出るので、カーブの強い部分のダーツの中央に切込みを入れてから縫い合わせます。
裏布と見返しは、カーブの違うものどうしを縫い合わせることになるので、パターンのほうに合い印を入れておき、印を合わせて縫うときれいに仕上がります。
別珍リボンは衿ぐりと裾切替え線を縫ってから、表に重ねて上からミシンで止めつけます。

●出来上り寸法 (cm)

名称 \ サイズ	9	11	13
バスト	90	93	96
ウエスト	76	79	82
ヒップ	100	103	106
背肩幅	36	37	38
着丈		112.5	

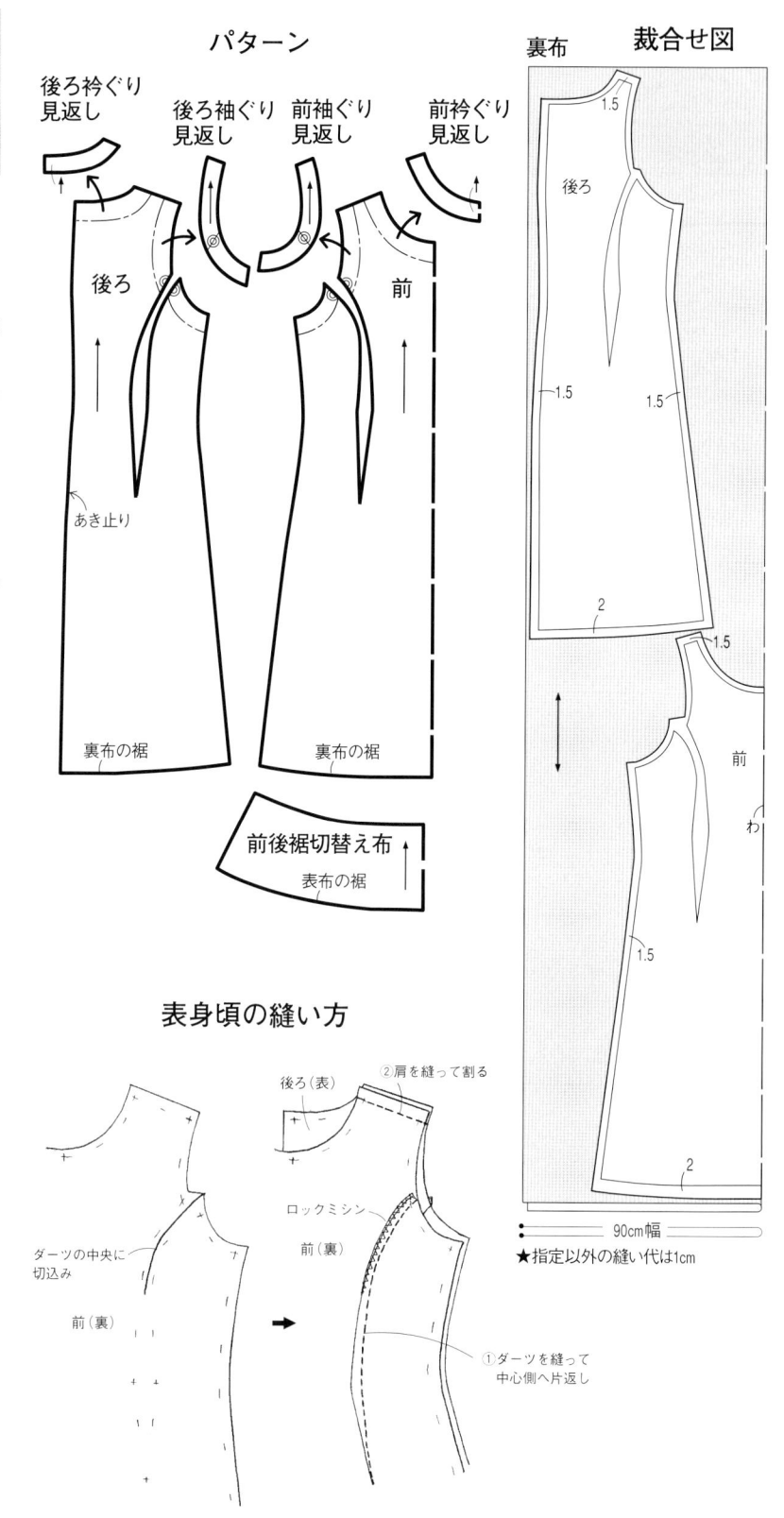

★指定以外の縫い代は1cm

裁合せ図

表布

- 後ろ衿ぐり見返し（各1枚） 1.5
- 前衿ぐり見返し（1枚） 1.5
- 後ろ袖ぐり見返し 1.5
- 前袖ぐり見返し 1.5
- 前裾切替え布 0.8
- 後ろ裾切替え布 0.8
- 後ろ 1.5
- 前 わ 1.5

152cm幅

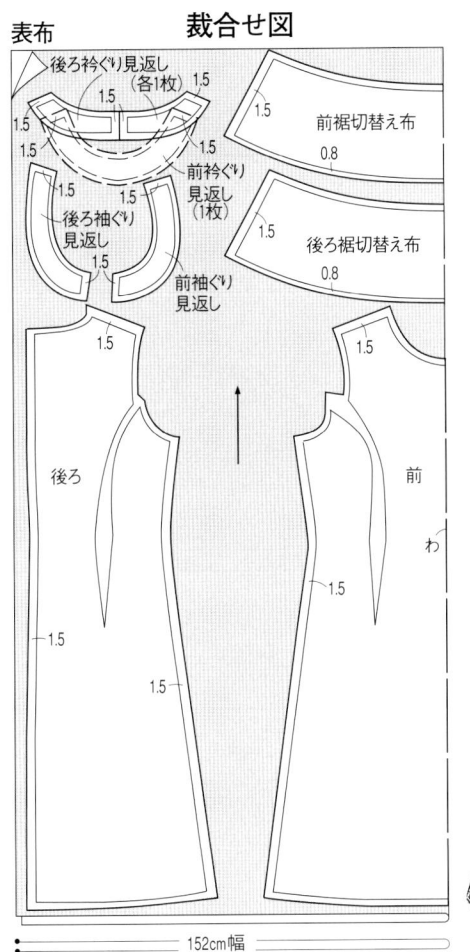

★指定以外の縫い代は1cm

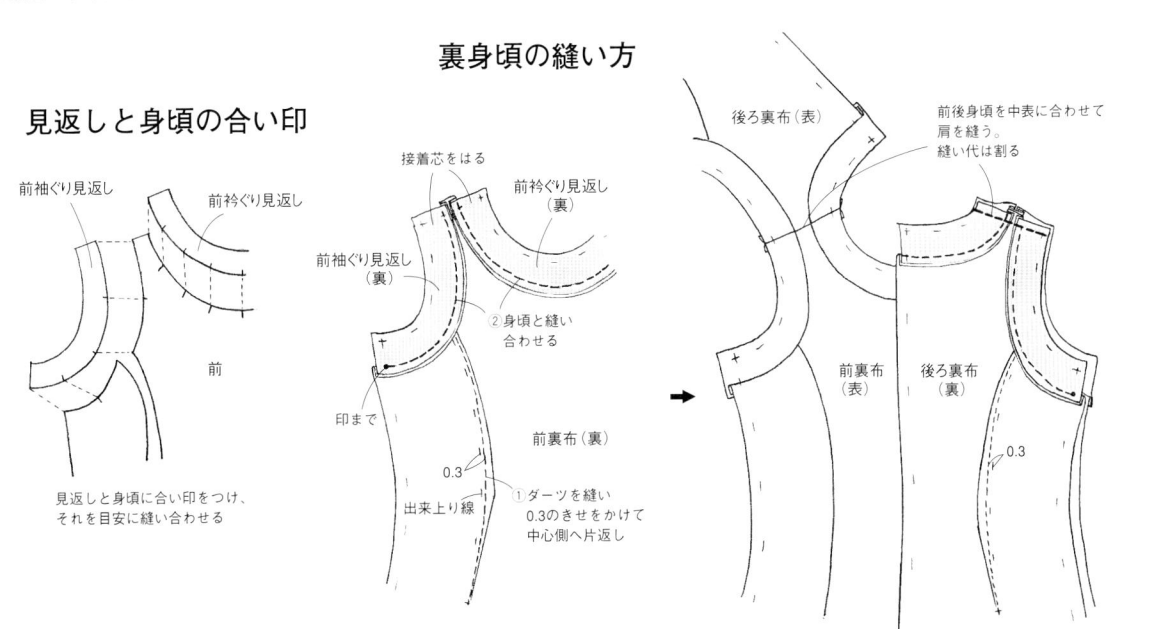

見返しと身頃の合い印

- 前袖ぐり見返し
- 前衿ぐり見返し
- 前

見返しと身頃に合い印をつけ、それを目安に縫い合わせる

裏身頃の縫い方

- 接着芯をはる
- 前衿ぐり見返し（裏）
- 前袖ぐり見返し（裏）
- ②身頃と縫い合わせる
- 印まで
- 出来上り線
- 前裏布（裏）
- ①ダーツを縫い0.3のきせをかけて中心側へ片返し

- 後ろ裏布（表）
- 前後身頃を中表に合わせて肩を縫う
- 縫い代は割る
- 前裏布（表）
- 後ろ裏布（裏）
- 0.3

身頃の縫い方

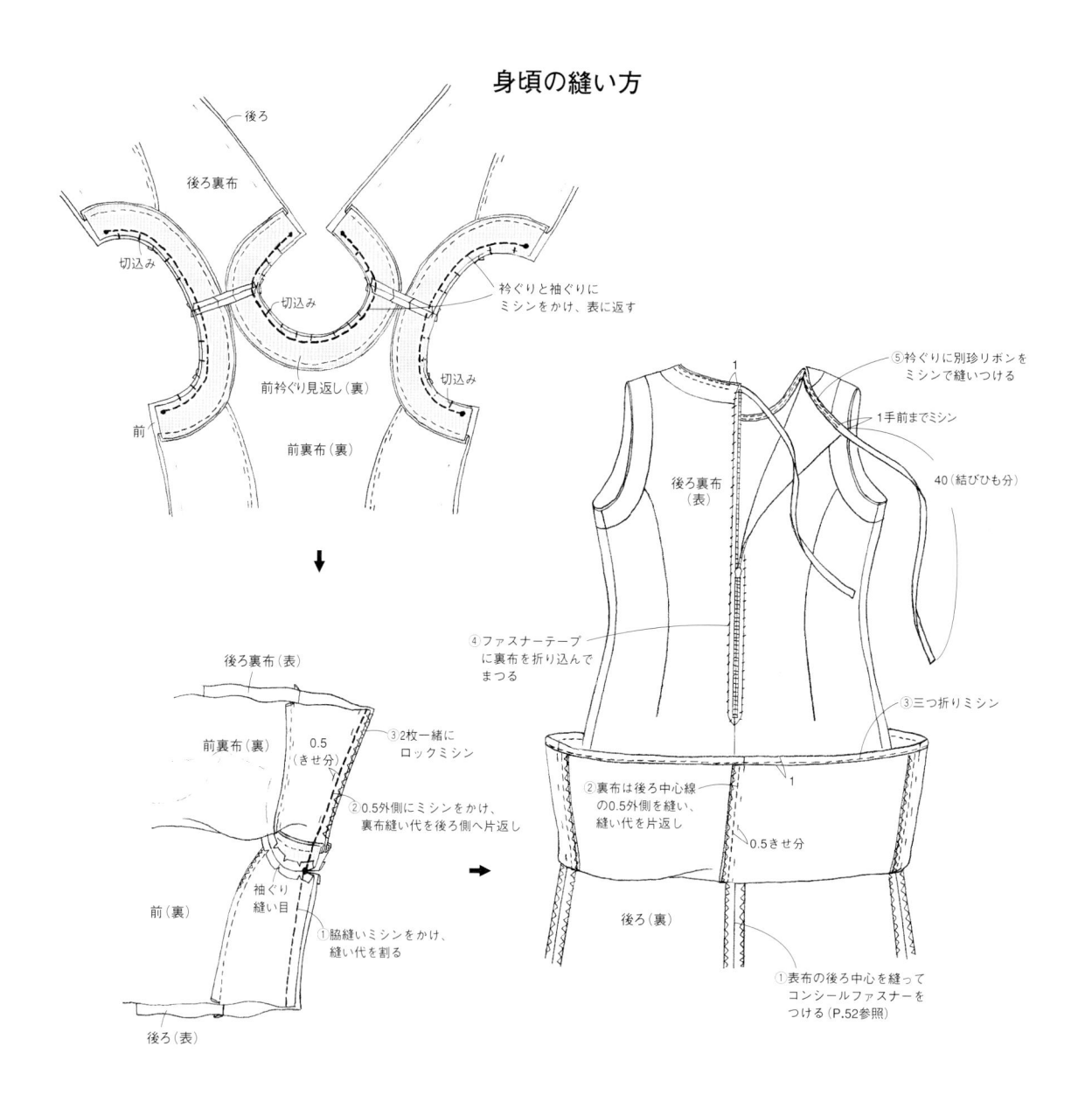

- 後ろ
- 後ろ裏布
- 切込み
- 切込み
- 切込み
- 前衿ぐり見返し(裏)
- 前
- 前裏布(裏)
- 衿ぐりと袖ぐりにミシンをかけ、表に返す

↓

- 後ろ裏布(表)
- 前裏布(裏)
- 0.5(きせ分)
- ③2枚一緒にロックミシン
- ②0.5外側にミシンをかけ、裏布縫い代を後ろ側へ片返し
- 前(裏)
- 袖ぐり縫い目
- ①脇縫いミシンをかけ、縫い代を割る
- 後ろ(表)

- ⑤衿ぐりに別珍リボンをミシンで縫いつける
- 1手前までミシン
- 40(結びひも分)
- 後ろ裏布(表)
- ④ファスナーテープに裏布を折り込んでまつる
- ③三つ折りミシン
- ②裏布は後ろ中心線の0.5外側を縫い、縫い代を片返し
- 0.5きせ分
- 後ろ(裏)
- ①表布の後ろ中心を縫ってコンシールファスナーをつける(P.52参照)

裾切替え布の縫い方

- ①中表に合わせて両脇を縫う
- 裾切替え布(裏)
- 0.8
- ②裾を折ってミシン
- ロックミシン

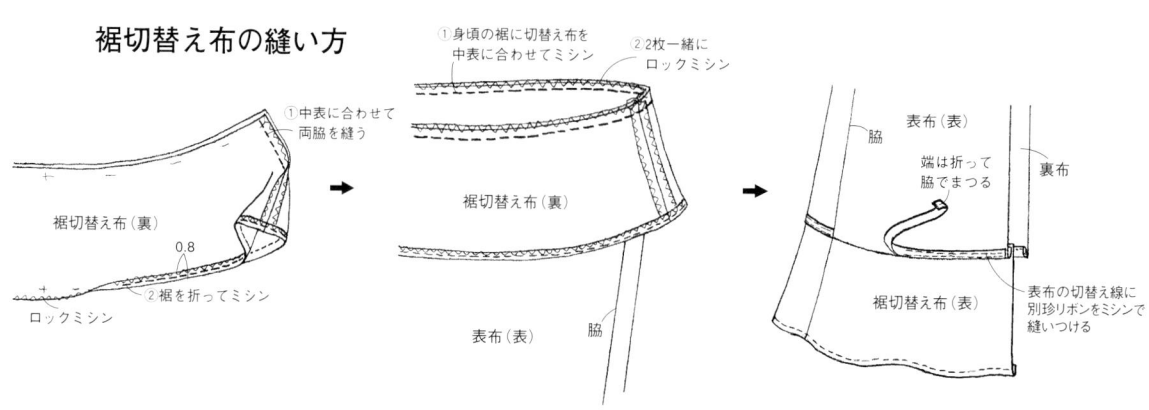

→

- ①身頃の裾に切替え布を中表に合わせてミシン
- ②2枚一緒にロックミシン
- 裾切替え布(裏)
- 表布(表)
- 脇

→

- 脇
- 表布(表)
- 端は折って脇でまつる
- 裏布
- 裾切替え布(表)
- 表布の切替え線に別珍リボンをミシンで縫いつける

no.19
ao dai dress
ウールのアオザイドレス

●材料
表布（ウールジャージー）138cm幅2.3m
別布（ポリエステルサテン）90cm幅30cm
接着芯（裏衿、上前見返し、下前見返し分）90cm幅30cm
接着テープ（ファスナーつけ位置分）1.5cm幅80cm
コンシールファスナー長さ36cm
スナップ3組み

●パターン
後ろ、前、衿、袖、上前見返し、下前持出し、下前見返し

●裁ち方ポイント
前打合せの見返し、持出しは、それぞれ1枚ずつ裁ちますから、パターンの向きに注意してください。
裏衿、上前見返し、下前見返しは別布で裁ち、それぞれに接着芯をはります。

●縫い方のポイント
前の打合せの縫い方は複雑に見えますが、まず下前持出しは右袖と、上前見返しと下前見返しは裏衿と縫い合わせるというように、細かい部分から仕上げていくと迷いません。左袖は身頃と縫い合わせますが、右袖は後ろ袖ぐりのみ縫います。袖をつけたら、表衿を身頃と縫い、見返しがついた裏衿を中表に合わせて衿回りと下前端、上前になる前衿ぐりから前袖ぐり線を縫います。衿を表に返したら、後ろ衿ぐりに裏衿をまつりつけ、衿ぐりの縫い代を中とじしておきます。

●出来上り寸法 (cm)

名称\サイズ	9	11	13
バスト	94.5	97.5	100.5
ヒップ	96	99	102
ゆき（後ろ中心〜袖口）	77	78	79
着丈		122	

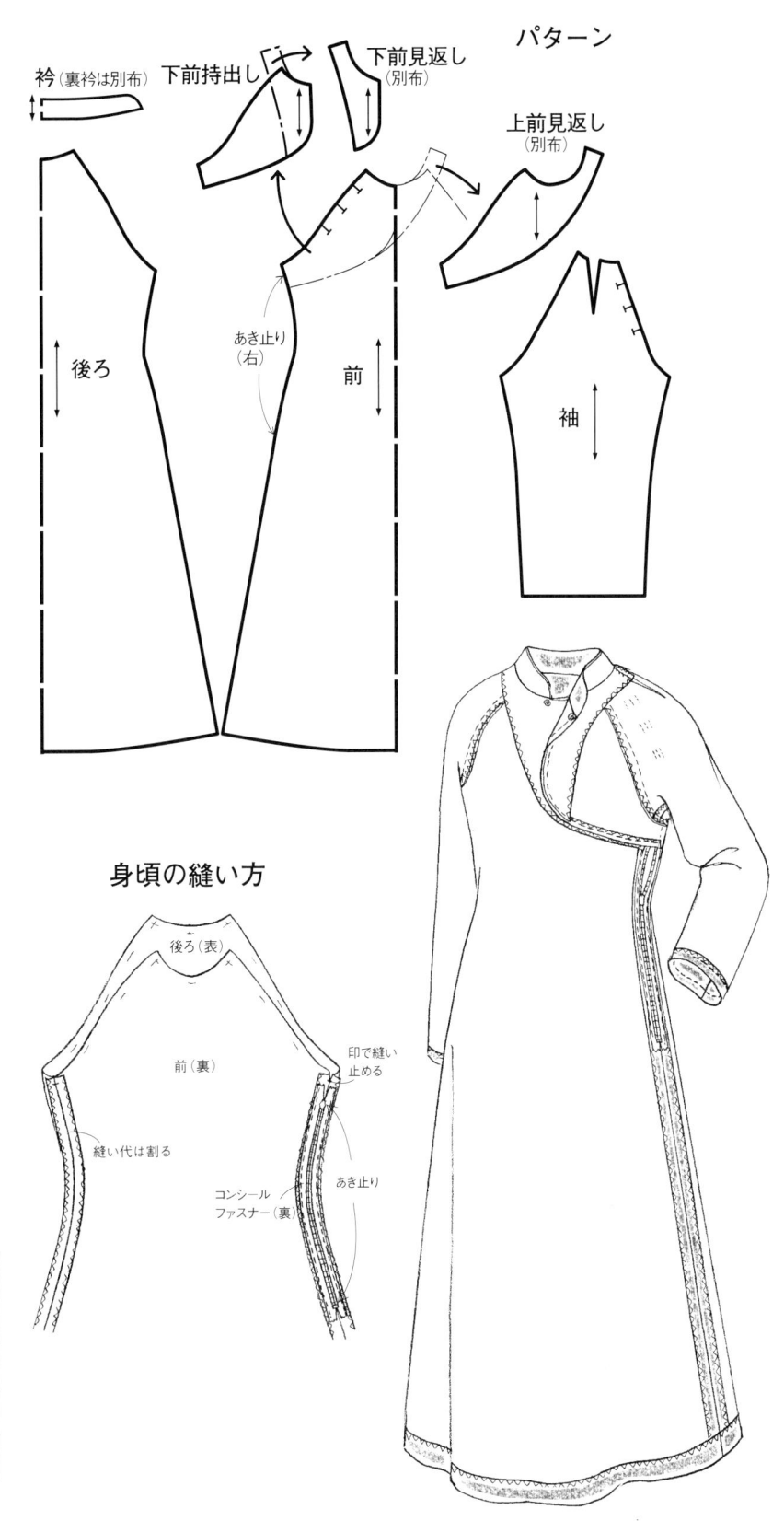

袖の縫い方とつけ方

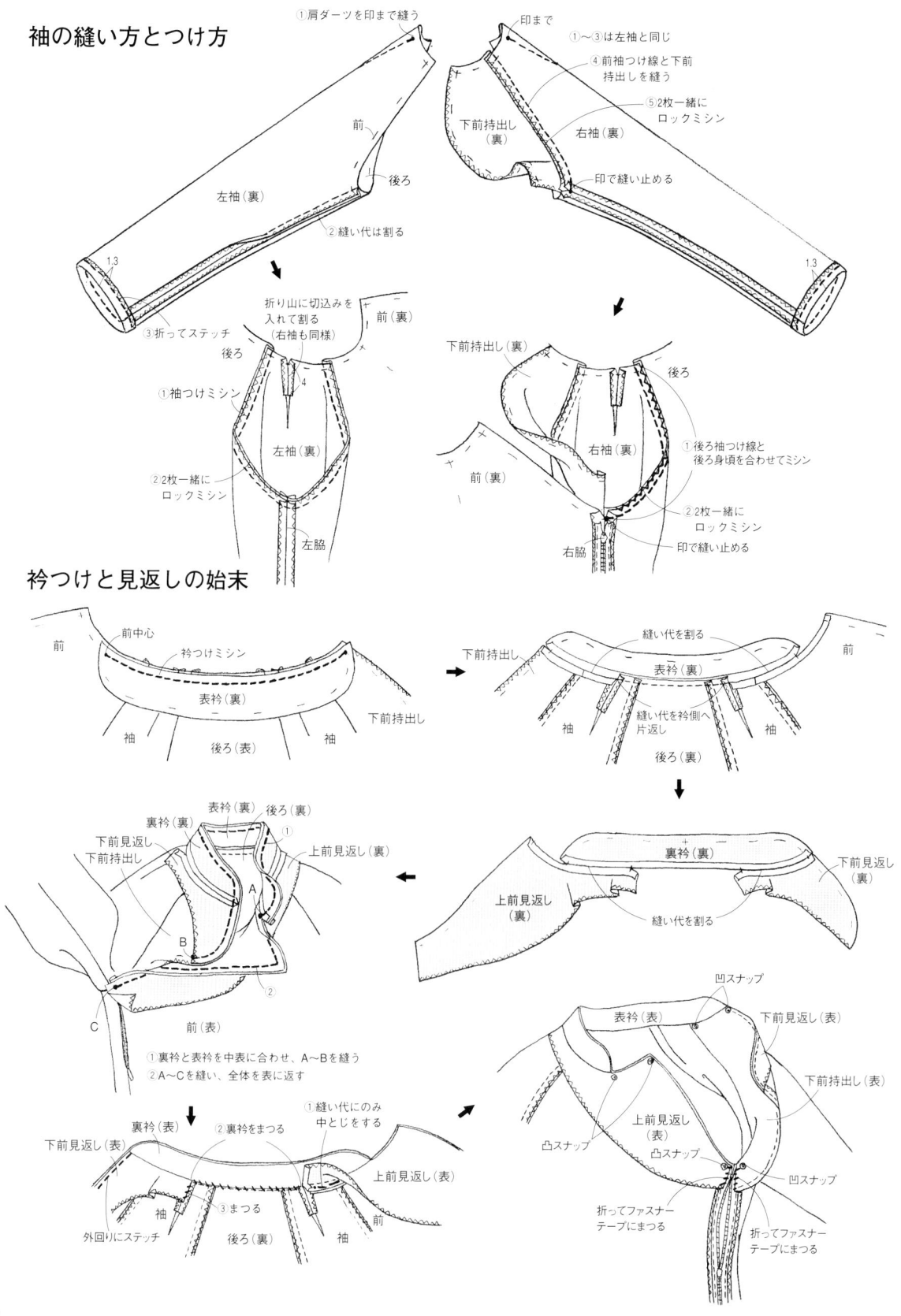

①肩ダーツを印まで縫う
前
後ろ
左袖（裏）
②縫い代は割る
1.3
③折ってステッチ

印まで
①～③は左袖と同じ
④前袖つけ線と下前持出しを縫う
⑤2枚一緒にロックミシン
下前持出し
右袖（裏）
印で縫い止める
1.3

折り山に切込みを入れて割る（右袖も同様）
前（裏）

①袖つけミシン
左袖（裏）
前（裏）
②2枚一緒にロックミシン
左脇

下前持出し（裏）
後ろ
右袖（裏）
前（裏）
①後ろ袖つけ線と後ろ身頃を合わせてミシン
②2枚一緒にロックミシン
印で縫い止める
右脇

衿つけと見返しの始末

前
前中心
衿つけミシン
表衿（裏）
下前持出し
袖
後ろ（表）
袖

下前持出し
縫い代を割る
表衿（裏）
前
縫い代を衿側へ片返し
袖
後ろ（裏）
袖

上前見返し（裏）
裏衿（裏）
下前見返し（裏）
縫い代を割る

表衿（裏）　後ろ（裏）
裏衿（裏）
下前見返し
下前持出し
上前見返し（裏）
A
B
C
前（表）
①裏衿と表衿を中表に合わせ、A～Bを縫う
②A～Cを縫い、全体を表に返す

①縫い代にのみ中とじをする
裏衿（表）
②裏衿をまつる
下前見返し（表）
上前見返し（表）
袖
後ろ（裏）
袖
前
外回りにステッチ
③まつる

表衿（表）
凹スナップ
下前見返し（表）
下前持出し（表）
上前見返し（表）
凸スナップ
凸スナップ
凹スナップ
折ってファスナーテープにまつる
折ってファスナーテープにまつる

チャイナボタンのつけ方

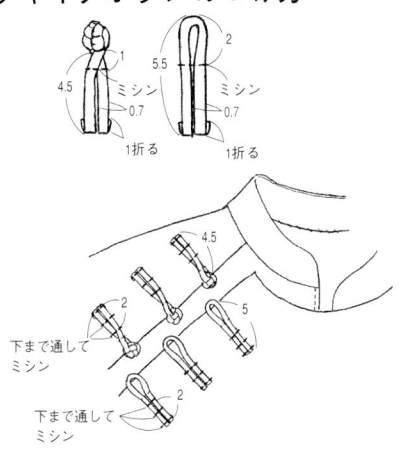

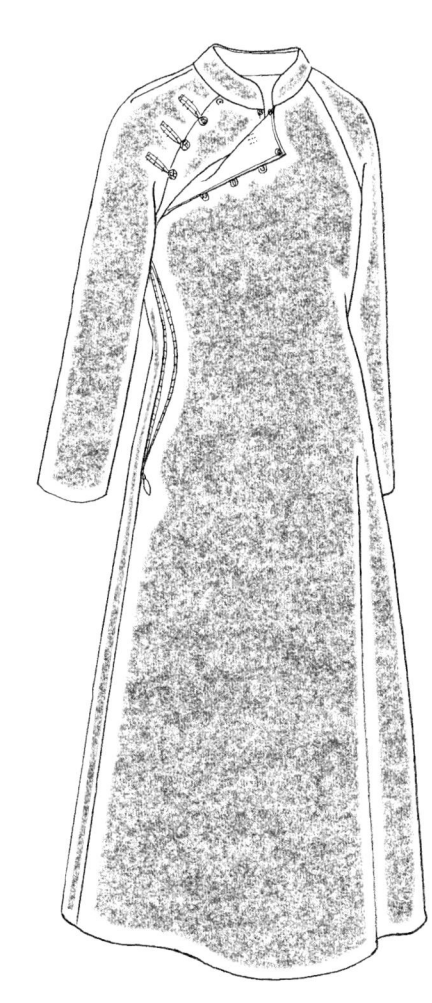

- 4.5 / 1 / ミシン / 0.7 / 1折る
- 2 / 5.5 / ミシン / 0.7 / 1折る
- 4.5 / 2 / 下まで通してミシン
- 5 / 2 / 下まで通してミシン

裁合せ図

表布

- 袖 1.2
- 袖 1.2
- 1.5 / 1.5
- 後ろ 1.2 / 3
- 前 1.2
- 3
- 正バイアス 2.5 / 2.5
- チャイナボタン用バイアステープ
- 表衿
- 下前持出し 1.2

138cm幅

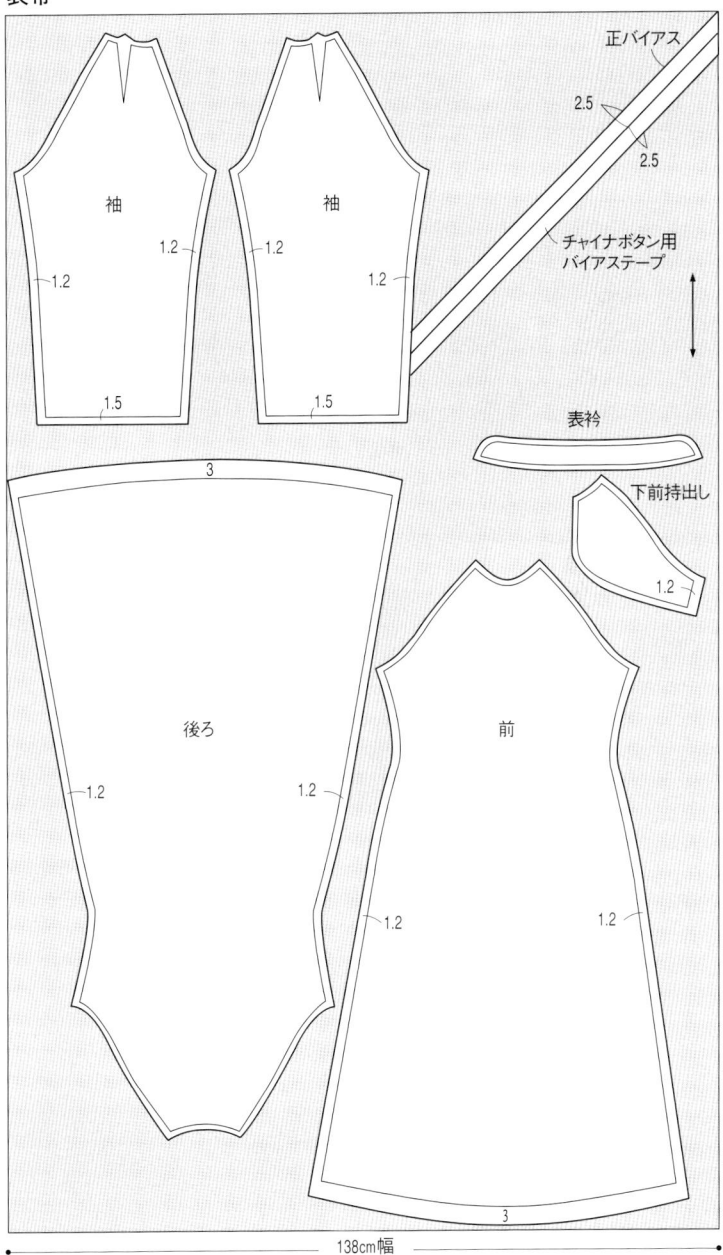

★指定以外の縫い代は1cm

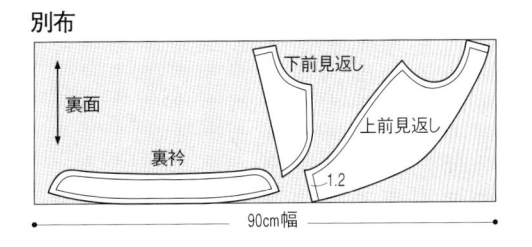

別布

- 裏面
- 裏衿
- 下前見返し
- 上前見返し 1.2

90cm幅

no.21
silk suit
シルクのスーツ

……口絵30ページ

●材料
表布(ローシルク)135cm幅2.7m
裏布(シルク・ジャケット分)110cm幅1.2m
裏布(ポリエステル・スカート分)90cm幅1.6m
接着芯(前身頃、前後見返し、衿分)90cm幅90cm
接着テープ(ファスナーつけ位置分)1.5cm幅50cm
グログランリボン1.6cm幅70cm
ボタン直径1.8cmを12個
コンシールファスナー長さ20cm
ホック1組み

●パターン
ジャケットは後ろ、前、表衿、裏衿、袖、後ろ見返し、前見返し
スカートは後ろ、前

●裁ち方のポイント
前身頃はぱりっと仕上げたいので、見返しと身頃に接着芯をはります。また、衿はきっちりと立つように、裏衿の衿こし部分に接着芯を2重にはっておきます。

●縫い方のポイント
ベルトレスのスカートは、表布と裏布をウエストラインで縫い返して作り、グログランリボンを止めて伸びないようにします。

●出来上り寸法 (cm)

サイズ 名称	9	11	13
ジャケット バスト	97	100	103
ヒップ	96	99	102
背肩幅	39	40	41
袖幅	36	37	38
袖丈	57.6	58	58.4
着丈		52	
スカート ウエスト	66	69	72
ヒップ	98	101	104
スカート丈		71.5	

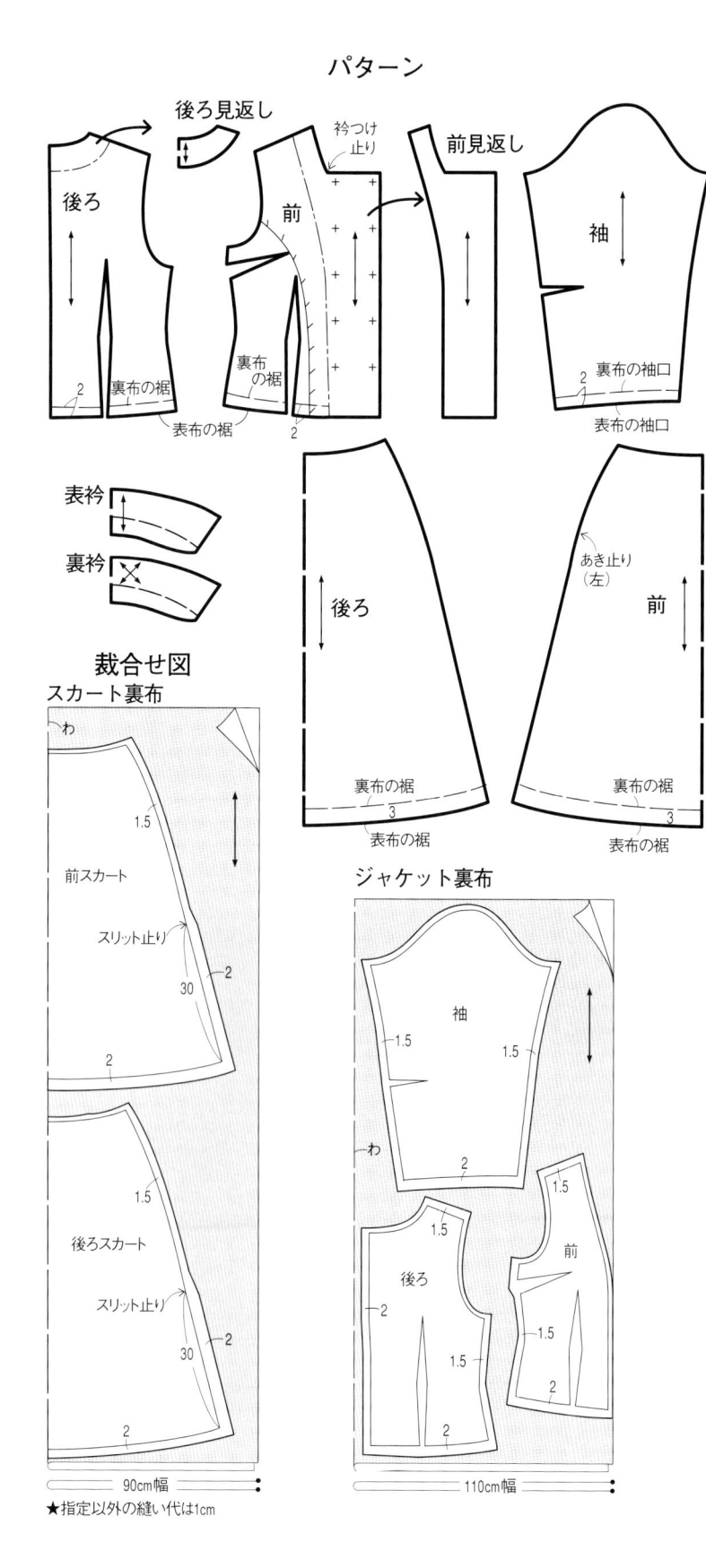

★指定以外の縫い代は1cm

裏布の縫い方

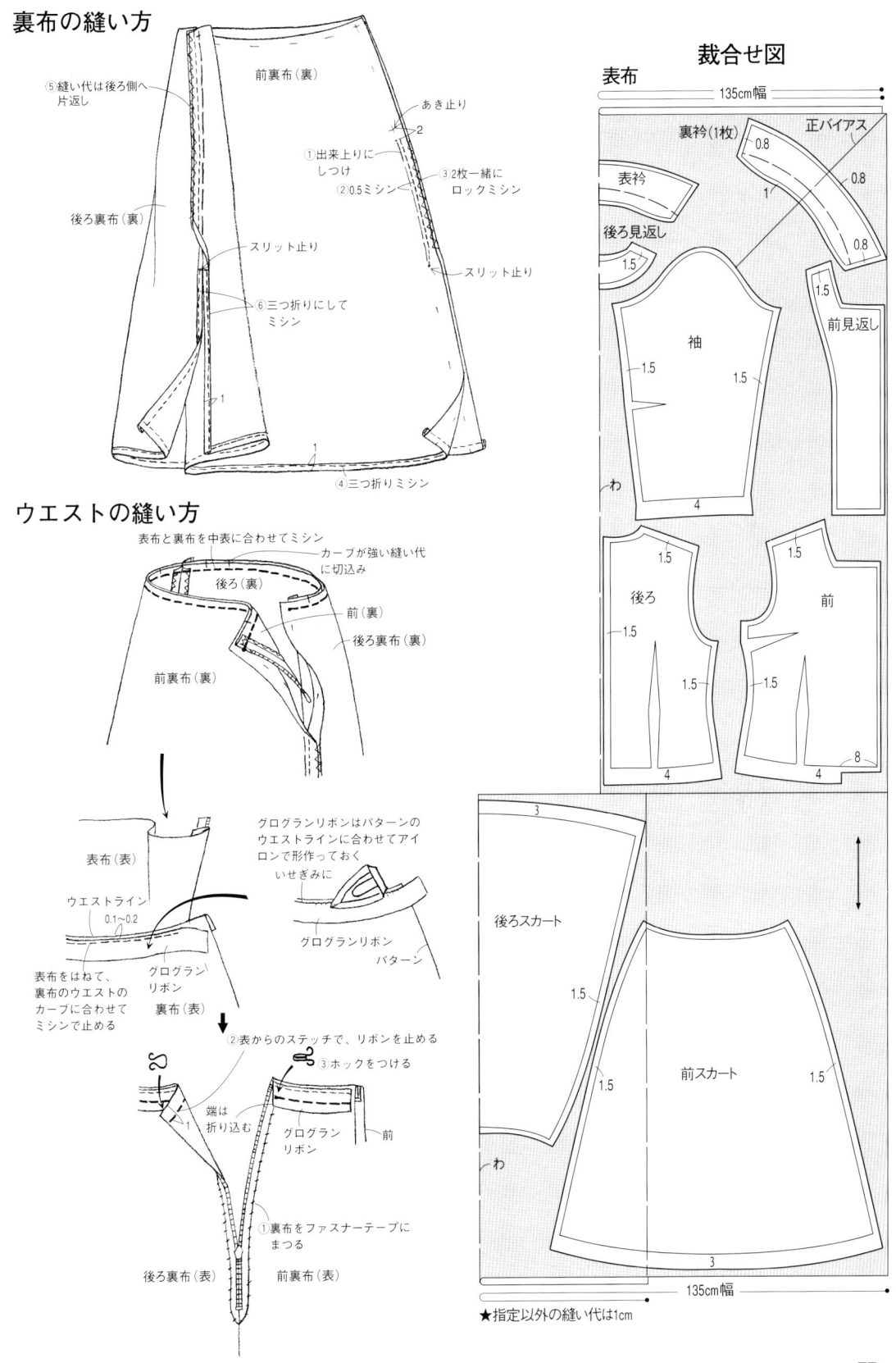

- ⑤縫い代は後ろ側へ片返し
- 前裏布（裏）
- あき止り
- ①出来上りにしつけ
- ②0.5ミシン
- ③2枚一緒にロックミシン
- 後ろ裏布（裏）
- スリット止り
- スリット止り
- ⑥三つ折りにしてミシン
- ④三つ折りミシン

ウエストの縫い方

- 表布と裏布を中表に合わせてミシン
- カーブが強い縫い代に切込み
- 後ろ（裏）
- 前（裏）
- 後ろ裏布（裏）
- 前裏布（裏）

- 表布（表）
- ウエストライン 0.1～0.2
- 表布をはねて、裏布のウエストのカーブに合わせてミシンで止める
- グログランリボン
- 裏布（表）

- グログランリボンはパターンのウエストラインに合わせてアイロンで形作っておく
- いせぎみに
- グログランリボン
- パターン

- ②表からのステッチで、リボンを止める
- ③ホックをつける
- 端は折り込む
- グログランリボン
- 前
- ①裏布をファスナーテープにまつる
- 後ろ裏布（表）
- 前裏布（表）

裁合せ図

表布

135cm幅

- 裏衿（1枚） 0.8 正バイアス 0.8
- 表衿 1
- 後ろ見返し 1.5
- 袖 1.5 1.5
- 前見返し 1.5
- わ 4
- 後ろ 1.5 1.5 1.5
- 前 1.5 1.5
- 4 4 8

- 3
- 後ろスカート 1.5 1.5
- 前スカート 1.5
- わ
- 3

135cm幅

★指定以外の縫い代は1cm

接着芯のはり方

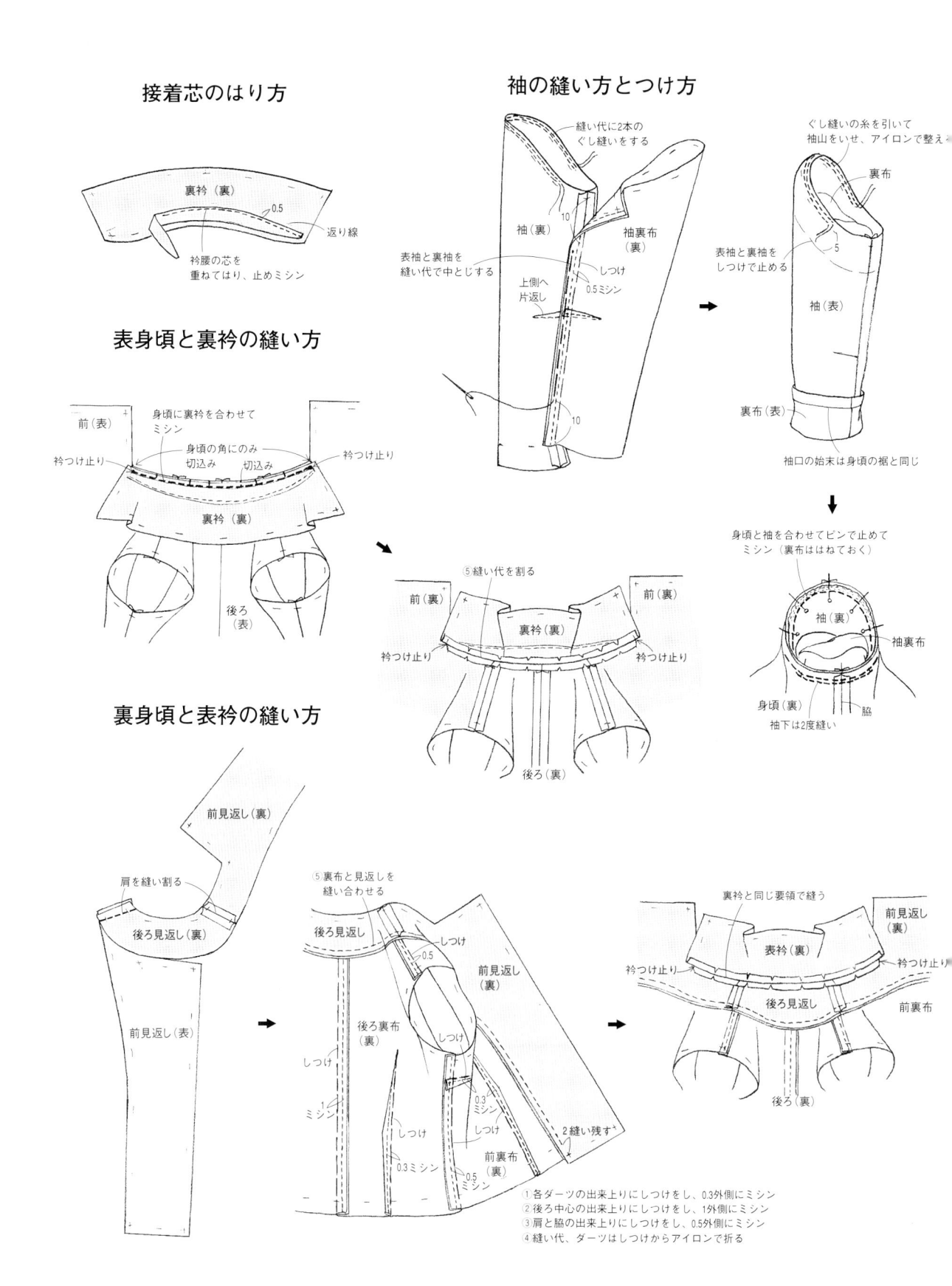

衿腰の芯を
重ねてはり、止めミシン

裏衿（裏）
0.5
返り線

表身頃と裏衿の縫い方

前（表）
衿つけ止り
身頃に裏衿を合わせて
ミシン
身頃の角にのみ
切込み
切込み
衿つけ止り
裏衿（裏）
後ろ（表）

⑤縫い代を割る
前（裏）
前（裏）
裏衿（裏）
衿つけ止り
衿つけ止り
後ろ（裏）

裏身頃と表衿の縫い方

前見返し（裏）
肩を縫い割る
後ろ見返し（裏）
前見返し（表）

⑤裏布と見返しを
縫い合わせる
後ろ見返し
しつけ
0.5
前見返し
（裏）
しつけ
後ろ裏布
（裏）
1
ミシン
しつけ
0.3
ミシン
しつけ
0.5ミシン
前裏布
（裏）
2縫い残す

裏衿と同じ要領で縫う
表衿（裏）
衿つけ止り
衿つけ止り
後ろ見返し
前裏布
後ろ（裏）

①各ダーツの出来上りにしつけをし、0.3外側にミシン
②後ろ中心の出来上りにしつけをし、1外側にミシン
③肩と脇の出来上りにしつけをし、0.5外側にミシン
④縫い代、ダーツはしつけからアイロンで折る

袖の縫い方とつけ方

縫い代に2本の
ぐし縫いをする
袖（裏）
袖裏布（裏）
10
表袖と裏袖を
縫い代で中とじする
上側へ
片返し
しつけ
0.5ミシン
10

ぐし縫いの糸を引いて
袖山をいせ、アイロンで整え
裏布
表袖と裏袖を
しつけで止める
5
袖（表）
裏布（表）
袖口の始末は身頃の裾と同じ

身頃と袖を合わせてピンで止めて
ミシン（裏布ははねておく）
袖（裏）
袖裏布
身頃（裏）
脇
袖下は2度縫い

表身頃と裏身頃の縫合せ方

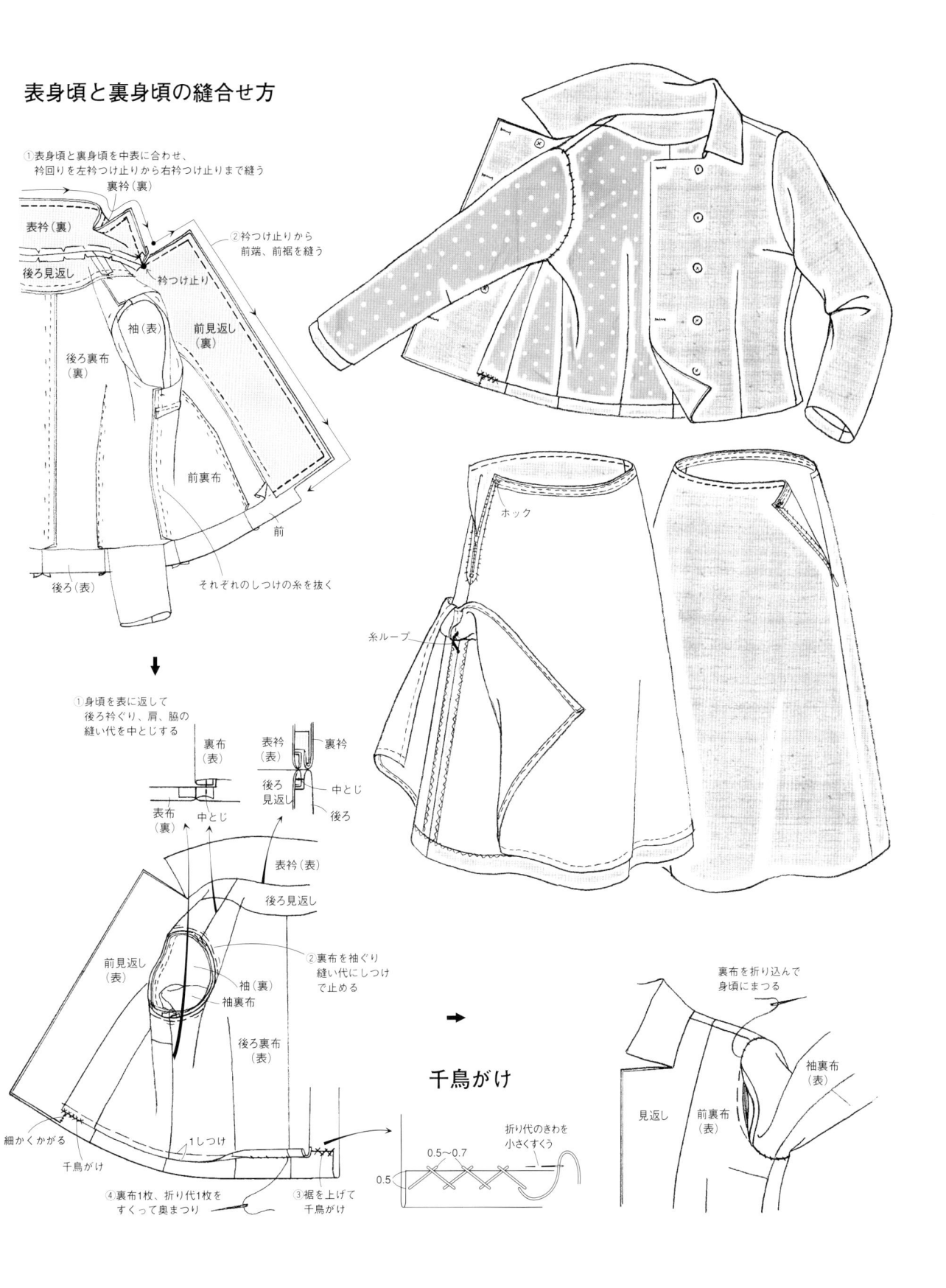

①表身頃と裏身頃を中表に合わせ、衿回りを左衿つけ止りから右衿つけ止りまで縫う

- 裏衿（裏）
- 表衿（裏）
- 後ろ見返し
- 後ろ裏布（裏）
- ②衿つけ止りから前端、前裾を縫う
- 衿つけ止り
- 袖（表）
- 前見返し（裏）
- 前裏布
- 前
- 後ろ（表）
- それぞれのしつけの糸を抜く

①身頃を表に返して後ろ衿ぐり、肩、脇の縫い代を中とじする

- 裏布（表）
- 表布（裏）
- 中とじ
- 表衿（表）
- 裏衿
- 後ろ見返し
- 後ろ
- 中とじ
- 表衿（表）
- 後ろ見返し
- 前見返し（表）
- 袖（裏）
- 袖裏布
- 後ろ裏布（表）
- ②裏布を袖ぐり縫い代にしつけで止める
- 細かくかがる
- 千鳥がけ
- 1しつけ
- ④裏布1枚、折り代1枚をすくって奥まつり
- ③裾を上げて千鳥がけ

千鳥がけ

- 折り代のきわを小さくすくう
- 0.5〜0.7
- 0.5

- ホック
- 糸ループ

裏布を折り込んで身頃にまつる

- 見返し
- 前裏布（表）
- 袖裏布（表）

no.20 ……口絵28ページ
coat
軽いコート

● 材料
表布（ビスコースレーヨン）135cm幅2.8m
接着芯（前後見返し、表衿、裏衿、ベルトA、B、裏フラップ、ポケット口分）90cm幅1.2m
接着テープ（衿ぐり、前端分）1.5cm幅3m
くるみボタン直径2.3cmを9個

● パターン
後ろ、前、表衿、裏衿、袖、後ろ見返し、前見返し、ポケット、フラップ、ベルトA、B

● 裁ち方のポイント
後ろ見返しは、後ろ中心で身頃の縫い目と重ならないように縫い目を入れずに裁ちます。

● 縫い方のポイント
オープンカラーは見返しと表衿、身頃と裏衿をそれぞれ縫っておいてから中表に合わせ、左右の衿つけ止りからそれぞれの前端、裾、左衿つけ止りから衿回りを縫って右衿つけ止りまで、というように分けて縫います。なお、裏衿は縫い代を少なくしているので、裁ち端を合わせて縫うと、表衿にたるみ分が出ます。これは縫い上がった衿を折り返したときの、表衿の外回りのゆとり分になります。このゆとり分を逃がさないように、衿を表に返したら衿ぐりを中とじしておきます。

後ろベルトは、脇縫いのときにベルトBをはさみ縫いにし、それをつなぐようにベルトAをボタンで止めつけます。

● 出来上り寸法　　（cm）

名称＼サイズ	9	11	13
バスト	106	109	112
背肩幅	41	42	43
袖幅	36.5	37.5	38.4
袖丈	57.6	58	58.4
着丈		109.5	

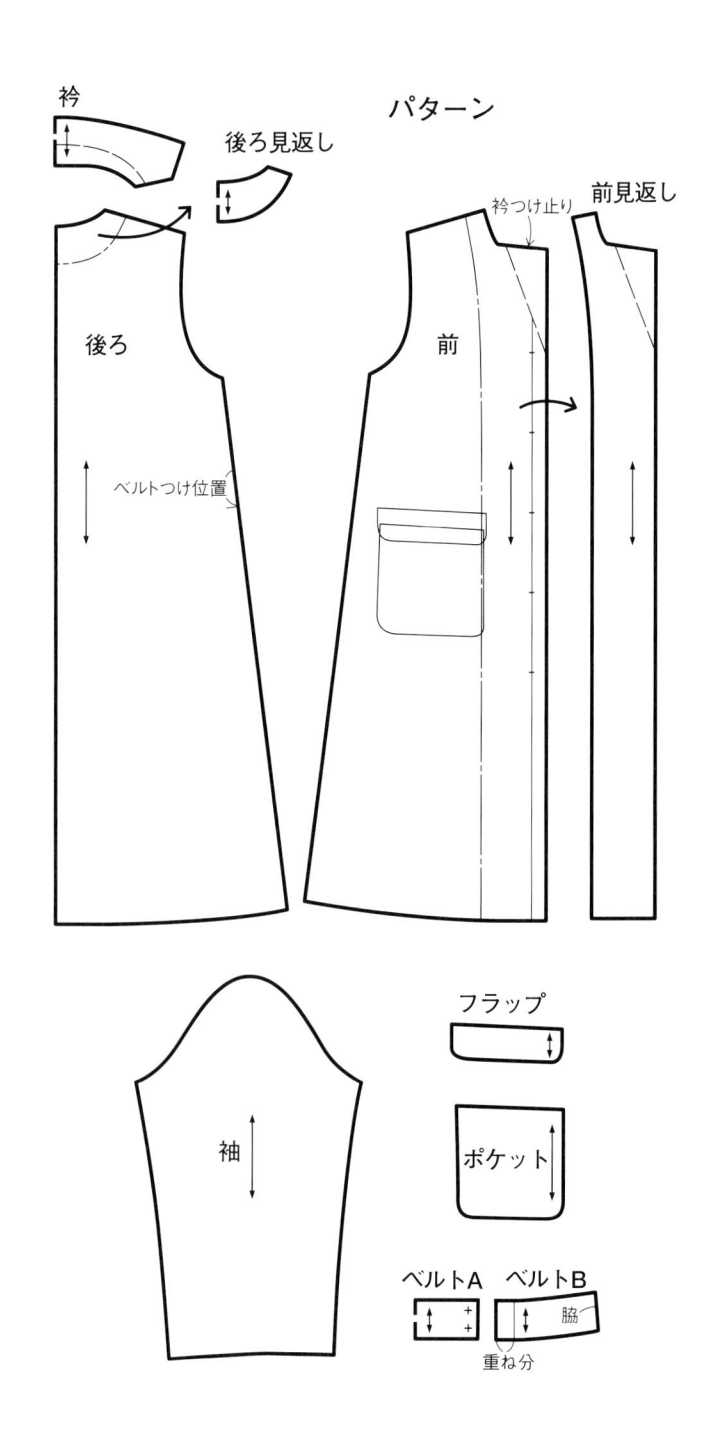

ポケットの縫い方

表フラップ(裏)
接着芯をはる
裏フラップ(裏)
中表に合わせてミシン
表フラップ(表)
表に返してステッチ

フラップつけ位置
1　0.5
ミシンをかけて折り上げる
表フラップ(表)
裏フラップ(表)
縫い代が隠れるようにしてミシン

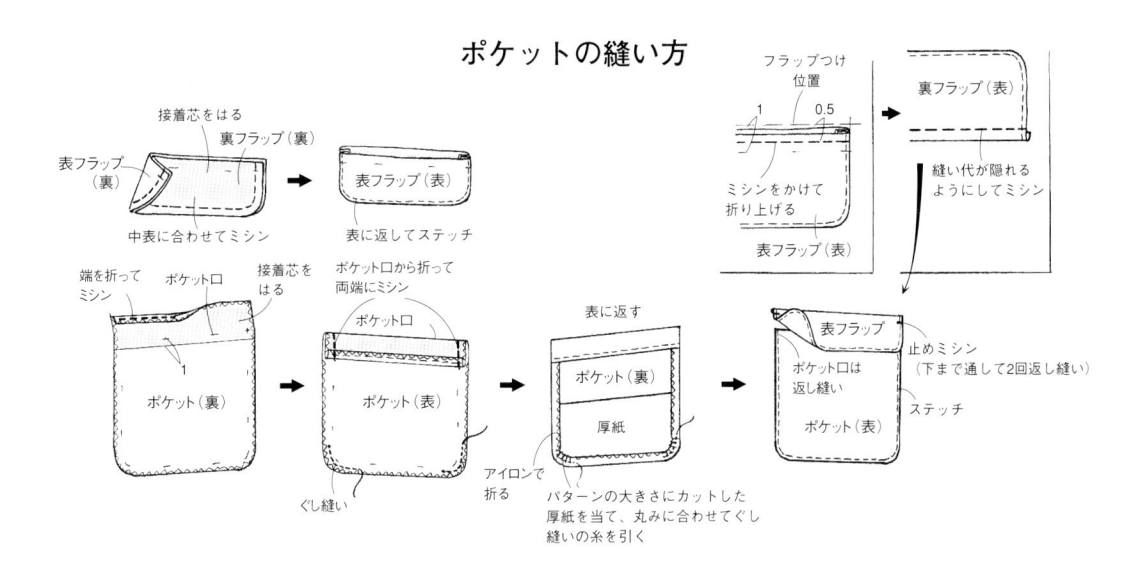

端を折ってミシン
ポケット口
接着芯をはる
ポケット(裏)
1
ぐし縫い

ポケット口から折って両端にミシン
ポケット口
ポケット(表)

表に返す
ポケット(裏)
厚紙
アイロンで折る
パターンの大きさにカットした厚紙を当て、丸みに合わせてぐし縫いの糸を引く

表フラップ
ポケット口は返し縫い
ポケット(表)
止めミシン(下まで通して2回返し縫い)
ステッチ

衿の縫い方

②見返しの角に切込み
接着芯をはる
1
④縫い代を割る
表衿(裏)
①衿つけ止りから角までミシン
後ろ見返し
③角から角までミシン
前見返し(裏)
肩を縫ってから外回りにロックミシンをかけ、出来上がりにミシン

接着芯をはる
0.8
裏衿(裏)
身頃の衿ぐりと前端に接着テープをはる
身頃の角に切込み
前(裏)
★裏衿は、表衿のつけ方①〜④と同じ要領で縫う

③
裏衿(裏)
1
裁ち端を合わせる
表衿(裏)
衿つけ止り
①
前見返し(裏)
②
後ろ(表)
表衿と裏衿を中表に合わせ、ラベルから前端と裾(①、②)、衿回り(③)と分けてミシンをかけ、表に返す

見返しを縫い代に止めつける
前見返しと衿ぐりの縫い代を中とじする
表衿(表)
後ろ(裏)
前見返し(表)

81

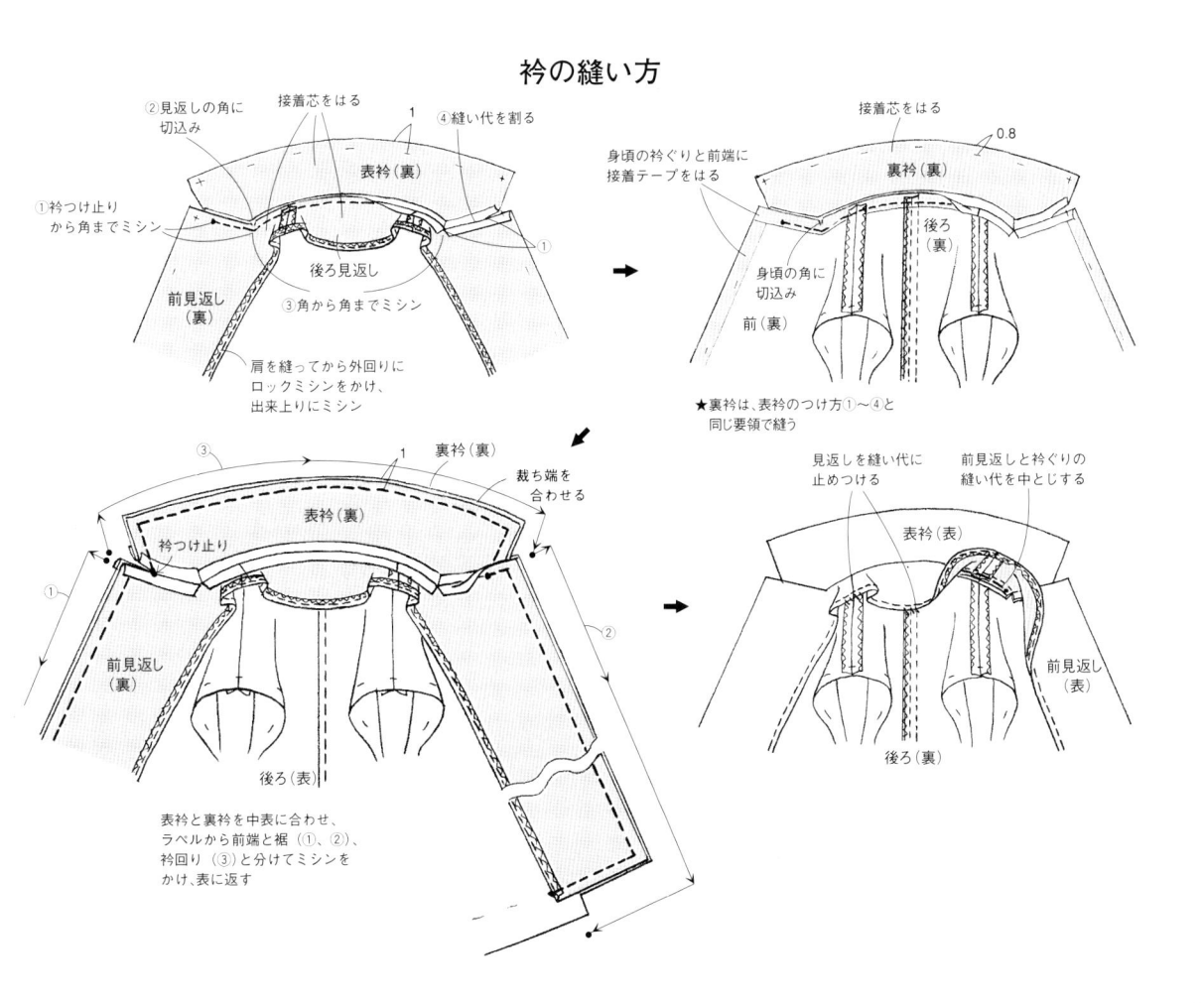

ベルトのつけ方

① ベルトBは脇縫いのときにはさんで一緒に縫う

前　後ろ(表)

ベルトB　ベルトA

重ね分　ベルトB

② ベルトA、Bを重ねてボタンで止める

表ベルト(表)　裏ベルト(表)　接着芯

表ベルトの裏に接着芯をはり、縫い返す

裁合せ図

★指定以外の縫い代は1cm

裏衿 0.8 / 1
表衿
わ
後ろ見返し 1.5
袖 1.5
後ろ 1.5
ベルトA 1.5
ベルトB 1.5
フラップ
ポケット 4
前見返し 1.5
前 1.5
7.5
4

―135cm幅―

茅木真知子
machiko kayaki

文化出版局「装苑」編集部を経てフリーランスのスタイリストとなる。
1992年からソーイングブックの仕事を始める。1995年、布地の店 [pindot(ピンドット)] オープン。
みずがめ座、AB型。九州生れ東京育ち。
著書『私の好きなシャツスタイル』『そのまま着ても、重ねてきても ワンピース』
『かんたんなのに Good Looking』『ドレスメーキング アット ホーム』
『ワンピースがいちばん』『いつか着る服、いつも着る服』
『茅木真知子 ホームクチュールセレクション』など（すべて文化出版局刊）

[製作協力]
鈴木みさお、山口悦子、福岡裕子、小笠原洋子、チコウ カオル（コサージュp.12）

[布地の通信販売問合せ先]
pindot（ピンドット）
〒167-0054 東京都杉並区松庵3-39-11
シティコープ西荻202　Phone 03-3331-7518
12:00～19:00営業　月曜、火曜定休
ホームページ　http://www.pindot.net/

装丁、レイアウト　弘兼奈美（ツーピース）
撮影　山下恒徳
イラスト　殖田綾子
作り方解説　山村範子
パターントレース　河島京子

simple chic
ドレスアップ・ドレスダウン

2003年5月12日　第1刷発行
2018年1月17日　第20刷発行
著　者　茅木真知子
発行者　大沼　淳
発行所　学校法人文化学園 文化出版局
　　　　〒151-8524 東京都渋谷区代々木3-22-1
　　　　Phone 03-3299-2489（編集）　03-3299-2540（営業）
印刷・製本所　株式会社文化カラー印刷

©MACHIKO KAYAKI 2003　Printed in Japan
本書の写真、カット及び内容の無断転載を禁じます。

・本書のコピー、スキャン、デジタル化等の無断複製は著作権法上での例外を除き、禁じられています。本書を代行業者等の第三者に依頼してスキャンやデジタル化することは、たとえ個人や家庭内での利用でも著作権法違反になります。
・本書で紹介した作品の全部または一部を商品化、複製頒布、及びコンクールなどの応募作品として出品することは禁じられています。
・撮影状況や印刷により、作品の色は実物と多少異なる場合があります。ご了承ください。

文化出版局のホームページ　http://books.bunka.ac.jp/

茅木真知子の Sewing Book
実物大パターンつき

いつか着る服、いつも着る服
服のかたちにそれほどの違いはないので、布地選びにこだわって。

茅木真知子 ホームクチュールセレクション
今まで出版した本の中から20点を厳選し、パターンを「今らしく」アレンジして紹介。

ワンピースがいちばん
あなたが作りたい服は？ 布地を変えれば一年中楽しめるデザインが満載です。

ドレスメーキング アット ホーム
家で洋服を作る時間をもっと楽しんでほしいとの著者の思いから生まれた一冊。

かんたんなのに Good Looking
難しいテクニックは使わずに作れる、その人らしくていい感じの服を提案。

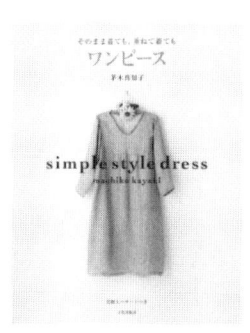

そのまま着ても、重ねて着てもワンピース
ワンピース、チュニックなど作りやすいけれど、簡単そうに見えないデザインで。

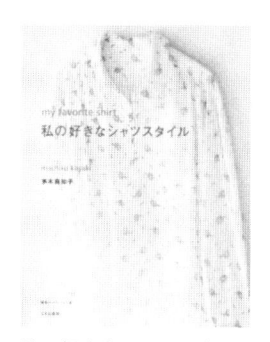

私の好きなシャツスタイル
定番からクレリックシャツ、プルオーバーはもちろん、シャツから広がるアイテムも。

好きな布でつくる服
花柄のシルクデシンやアイリッシュリネンなど著者が選んだ布でつくるアイテム。

スカート ア・ラ・カルト
手作り一番人気のスカート。重要なのは布地選び。そのポイントと着こなしを。

ドレスアップ・ドレスダウン
着こなしによってカジュアルにもフォーマルにもなるシンプルな服を集めて。

エプロンの本
働き着や、趣味のお教室用に、最近のエプロンはとってもおしゃれ。